Fée du logis
Blanc, de cidre, vin ou bière, le vinaigre a d'innombrables vertus : anticalcaire, antirouille, détachant ou désodorisant... Pour tirer le meilleur parti de ce produit ménager tout en un, condiment, produit d'entretien... le livre qu'il nous faut est paru. Enfin !

Cuisine actuelle

LE
VINAIGRE
MALIN

Retrouvez nos prochaines parutions, les ouvrages du catalogue, les interviews d'auteurs et les événements à ne pas rater. Votre avis nous intéresse : dialoguez avec nos auteurs et nos éditeurs. Tout cela et plus encore sur Internet à :

http://blog.editionsleduc.com

© 2009 LEDUC.S Éditions
Sixième impression (décembre 2010)
17, rue du Regard
75006 Paris – France
E-mail : info@editionsleduc.com
Web : www.leduc-s.com
ISBN : 978-2-84899-291-4

MICHEL DROULHIOLE

LE
VINAIGRE
MALIN

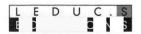

Sommaire

PARTIE I

Le hasard et l'acidité

Tous les vinaigres sont issus de deux réactions chimiques successives, toujours les mêmes, qui se produisent spontanément au contact de l'oxygène de l'air. La première transforme le sucre en alcool et la seconde transforme l'alcool en acide acétique.

À partir du raisin par exemple, la première réaction, connue depuis la nuit des temps, donne du vin. À partir de la pomme elle donne du cidre… et elle produit une foule d'autres boissons fermentées (alcoolisées) à partir de quasiment tous les fruits, légumes ou autres éléments contenant du sucre. Nous verrons tout cela en détail un peu plus loin…

La seconde réaction donne le vinaigre – qui n'est donc pas forcément issu du seul vin.

Du vin... aigre ?
Quelle drôle d'idée !

C'est sans doute par hasard que l'on a découvert, développé puis élaboré le vin et c'est un autre hasard qui a montré que le vin devenait aigre, toujours au contact de l'air... et que ce vin « aigre », il ne fallait surtout pas le jeter mais au contraire persister dans l'erreur si l'on peut dire, pour le laisser devenir bien acide. De toute façon, dans le passé, on ne jetait quasiment jamais

Tourner vinaigre

Tourner vinaigre ou *Tourner au vinaigre* est une image communément utilisée pour souligner tout ce qui se dégrade, tout ce qui se gâte... Tout ce qui s'aigrit, en quelque sorte. Aussi bien les choses que les gens. On peut tout de même dire de cette métaphore qu'elle est profondément injuste parce que, si le vinaigre est bien issu du vin (ou du cidre, de la bière, de l'alcool de riz, etc.) qui s'aigrit... ce même vinaigre a un effet lénifiant : c'est plutôt son précurseur le vin, qui risque d'échauffer les esprits – et les muscles, dans les cas les plus vifs. ▪

rien. Ce qui a permis à nos lointains ancêtres (ou grands cousins) de découvrir que les qualités de ce «vin aigre» étaient si nombreuses qu'elles justifiaient sa fabrication en tant que produit à part entière, et pas comme un sous-produit.

Le premier arrivé attend les autres!

En réalité, nul ne sait exactement d'où (et comment) est venu le vinaigre. Probablement provient-il du vin, mais même cela n'est pas sûr. C'est peut-être le jus de la pomme qui, en fermentant puis en s'acidifiant, a produit le premier «vinaigre». Ou une céréale fermentée, au cœur de l'Asie…

De toute façon, ni la pomme ni le raisin ne sont originaires d'Europe occidentale. Aux dernières nouvelles, la vigne viendrait du sud de l'Europe centrale ou de l'Asie Mineure. Seule certitude : le raisin est un fruit du sud, largement répandu par la suite par les Phéniciens, les Grecs et les Romains, qui l'ont introduit en Gaule – où étaient produits les meilleurs vins de l'Antiquité.

Mais d'autres «vinaigres» ont une histoire pas forcément plus courte et une liste de vertus au moins aussi longue sinon plus... à commencer par celui qui vient du cidre, donc de la pomme, originaire, elle, de la plus fraîche Asie centrale. La pomme a tout naturellement suivi le même itinéraire antique, mais elle s'est implantée plus au nord, notamment chez les emblématiques Vikings, grands voyageurs eux aussi... Certains historiens interprètent même la progression du christianisme en Europe en opposant la civilisation (païenne) de la pomme à la civilisation (chrétienne) du raisin : fruit défendu (la vilaine pomme et son serpent) contre liqueur sacrée (le vin de messe).

D'autant plus que l'origine du vinaigre est peut-être encore ailleurs : le vinaigre de riz pourrait bien mettre tout le monde d'accord. Produit de la fermentation du riz blanc, noir ou rouge il dérive du riz fermenté, du vin ou de l'alcool de riz. Quel âge a-t-il ?

Et à quand remonte un autre ancêtre vénérable, le vinaigre de bière?

Toutes ces histoires seraient bien intéressantes… Et sans doute plus longues que celle-là ; mais certainement moins pratiques. Donc restons-en là.

PARTIE 2

Le vinaigre blanc, génie du foyer

L'essentiel c'est que, aujourd'hui, on produit toujours d'excellents vinaigres selon les méthodes ancestrales étroitement calquées sur le modèle naturel.

Mais c'est par le plus récent, le plus simple et le moins cher des vinaigres que nous allons commencer : le vinaigre d'alcool ou vinaigre blanc. Parfois aussi appelé « cristal » car il est naturellement et parfaitement incolore.

Ne pas confondre « blanc » et « vin blanc » !

Le vinaigre blanc est directement issu d'alcool industriel pur ou presque pur, alors que le vinaigre de vin blanc est obtenu par fermentation de vins blancs. ■

Ce vinaigre sans vin (ni cidre ni fruit) est le dernier né des vinaigres et certainement le plus employé. Inutile d'essayer de le produire vous-même : il serait de moins bonne qualité que celui du commerce et horriblement plus cher! L'industrie a choisi le processus de fabrication le plus accéléré, le plus productif, et le plus simplifié à tous les étages : du sucre (de betterave, qui donne les meilleurs rendements au plus bas prix de revient) produit en quantités industrielles est transformé en alcool le plus concentré possible (autour de 95 %), que l'on transforme également le plus vite et le plus complètement possible en acide acétique. Quant au « degré », il mesure, dans tous les cas, la proportion (en volume) d'alcool dans le vin, et d'acide acétique dans le vinaigre – généralement de l'ordre de 10 % dans le vinaigre blanc « pur ».

Quand on dit moins cher, c'est vraiment moins cher. Un litre de vinaigre blanc coûte environ un demi-euro, ce qui en fait non pas le premier mais « presque » le moins cher des produits naturels... qui est pourtant fabriqué industriellement. C'est même pour cette raison qu'il est le deuxième produit polyvalent le moins cher de la maison – le premier, pas près d'être détrôné, est et reste l'eau du robinet!

Notons au passage que malgré son industrialisation très poussée, le vinaigre blanc est un produit naturel, peu agressif, qui reste efficace même quand il est fabriqué industriellement, bien que sa qualité la plus discutable soit peut-être ce fameux «naturel»... (Le mot a beau être furieusement à la mode, il ne doit pas faire oublier que bien des poisons mortels sont des produits naturels, et même des produits «bio» pour les plantes vénéneuses! L'amiante est un produit naturel, au même titre que le plus mortel de nos champignons, l'amanite phalloïde... Sans parler du joli laurier-rose, dont quelques microgouttes de sève peuvent vous tuer net, par arrêt du cœur.)

Le vinaigre blanc, lui, est le nettoyant, désodorisant, désinfectant, détartrant, etc., à la fois le plus inoffensif et le plus efficace dans un maximum de situations.

C'est un produit ménager écologique entre tous, ne serait-ce que parce qu'il est entièrement et rapidement biodégradable, et qu'il ne rajoute pas d'émanations nocives dans l'atmosphère (et plus particulièrement dans *votre* atmosphère, chez vous) comme le font de nombreux produits d'entretien de synthèse actuels qui aggravent la pollution ambiante.

Le cristal au prix de gros

Ce vinaigre blanc, d'alcool ou industriel est parfois vendu sous le nom de « cristal ». Pas de problème s'il n'est pas plus cher... Parce que c'est rigoureusement le même ! ■

Selon les applications, on l'emploie tel quel, plus ou moins dilué, en perçant le petit trou prévu dans le bouchon de sa bouteille plastique. Autre usage, aussi efficace que commode et méconnu, en vaporisateur, pur ou dilué. Pour le vaporisateur, ne vous cassez pas la tête : un vaporisateur récupéré fait très bien l'affaire (ancien produit à vitres, par exemple).

La première vertu de ce vinaigre d'alcool, ou vinaigre industriel, est de dissoudre le calcaire, ce qui en fait un produit idéal aussi bien pour détartrer, pour retrouver la transparence du verre ou le brillant du métal, que pour raviver des couleurs de tissus. C'est le meilleur ennemi du tartre sous toutes ses formes, qu'il dissout d'autant mieux qu'on le chauffe.

Il dégraisse aussi, tue les microbes et élimine les odeurs. Nous le retrouverons aussi vaillant à la tâche sur certaines taches – qu'il adore!

Animaux en cage

Les oiseaux, les rongeurs et bien d'autres bestioles «de compagnie» ne peuvent pas être laissés en liberté dans le logement, mais leur cage (ou bac ou terrarium) doit être nettoyé à fond une fois par mois. Le meilleur produit nettoyant et désinfectant est l'eau de Javel. On lui préférera pourtant le vinaigre blanc, pour deux raisons. D'abord, l'eau de Javel risque d'endommager le revêtement lisse du fond, qu'il soit en métal ou en plastique; ensuite, à la longue, les émanations de chlore vont attaquer les poumons des petits pensionnaires. Cela dit, il n'est pas mauvais d'effectuer un nettoyage à fond à l'eau de Javel tous les deux ou trois mois. (À ce sujet, on ne dira jamais assez quel danger représente l'eau de Javel actuelle, sans odeur… qui émet néanmoins les mêmes émanations nocives si on la respire trop longtemps ou de trop près. Avec la bonne vieille odeur de chlore d'avant, bien piquante, au moins, on ne risquait pas de s'exposer plus que nécessaire!)

Antidérapant, antiglisse!

C'est une propriété du vinaigre méconnue et inattendue. Tout ce qui est caoutchouté ou d'apparence similaire (plastiques plus ou moins mous) est destiné à adhérer au sol, du porte-crayon sur le bureau aux semelles de chaussures sur le trottoir! Si ces objets se mettent à glisser tout seuls, soit par un lissage dû à l'usure soit, plus simplement, parce qu'ils se sont empoussiérés, passez-les au vinaigre blanc, qui leur rendra leur adhérence.

Certains vont même jusqu'à passer les roues de leur vélo au vinaigre blanc, avant de se lancer sur une route humide. C'est effectivement efficace, même si c'est limité dans le temps. Cela ne dispense pas de surveiller les reflets irisés au sol. «Un bon coup d'œil vaut mieux qu'une mauvaise impasse», comme disent les joueurs de poker.

**Vertus antagonistes...
ou complémentaires ?**

Pourquoi donc le vinaigre s'associe-t-il aussi bien à l'huile pour faire ce produit génial qu'on appelle la vinaigrette ? (Voir *Les recettes indispensables... les plus faciles*, p. 145.) C'est sans doute tout simplement parce que ces deux-là sont absolument adversaires, antagonistes, opposés, contraires... Mais pas ennemis : l'une glisse, l'autre adhère !

Pour les tapis, les paillassons, il en va de même avec leur socle ou leurs pastilles de caoutchouc antidérapantes.

Antirouille (dégrippant)

Un bain dans du vinaigre pur peut aider à décoincer un mécanisme bloqué, mais le vinaigre a, pour cet usage, un concurrent redoutable, qui est pourtant un peu son contraire : le pétrole – mais que tout le monde n'a pas forcément sous la main, à la maison.

Attention ! Si vous décoincez un mécanisme métallique bloqué grâce à du vinaigre, huilez-le légèrement après, parce que, après le décapage offert en prime par le vinaigre, il ne demande qu'à rouiller derechef !

Argenterie

La méthode classique consiste à frotter l'argenterie avec un produit spécial qui lui est dédié, en suivant scrupuleusement le mode d'emploi (qui peut varier d'une marque à l'autre).

Une méthode de jeune grand-mère (le papier-alu n'est pas si vieux) consiste à plonger l'argenterie dans une marmite d'eau salée (au gros sel et au bicarbonate de sodium), en compagnie de (ou enveloppée dans du) papier aluminium. Faites chauffer et arrêtez dès que ça bout. L'aluminium ressort noir et l'argenterie... argentée. Attention, ça marche parfois un peu trop bien, notamment sur les placages fragiles. Faites un essai sur la pièce la moins jolie.

La méthode douce consiste à tremper l'argenterie dans du vinaigre blanc, qui lui redonne l'éclat du neuf, à condition d'être patient et d'attendre aussi longtemps que nécessaire. Le gros avantage c'est que, contrairement aux autres

produits, le vinaigre blanc n'est pas toxique. Attention! Le résidu de nettoyage est aussi toxique que celui des produits classiques, lui.

Assouplissant

(Voir *Lave-linge*, p. 44.)

Bac à douche, baignoire

Même si cela peut sembler curieux, ils s'entretiennent comme les cages d'animaux familiers (p. 19), au détail près qu'ils sont plus résistants à l'eau de Javel et que, humides et tièdes comme ils sont, ils forment une source parfaite de propagation de microbes (surtout des champignons responsables de mycoses); on les nettoiera au moins une fois sur deux à l'eau de Javel. Cela dit, le nettoyage au vinaigre désinfecte assez bien lui aussi, et n'attaque pas la peau, comme l'eau de Javel insuffisamment rincée.

Bac à litière

(Voir *Chats (litières)*, p. 28.)

Bondes d'évier, de vasque ou de baignoire

On leur connaît deux maladies endémiques : soit elles ne ferment pas ; soit elles n'ouvrent plus. La plupart des bondes se soulèvent, tout simplement et il suffit alors de régler la vis située au-dessous pour qu'elle s'ouvre plus – ou moins.

Si la bonde, bien que manœuvrant très bien de la position ouverte à la position fermée, n'assure plus l'étanchéité, c'est à cause du joint souple qui l'entoure. Regardez-le : il porte des dépôts de tartre bien visibles, qui disparaîtront après un bon bain de l'ensemble dans de l'eau chaude additionnée de vinaigre blanc (moitié-moitié). Le siège métallique, au fond de la vasque, doit lui aussi être soigneusement gratté, grâce à un tampon à vaisselle non agressif imbibé de vinaigre blanc pur. Il est parfois nécessaire de décoller le tartre avec une lame souple… Mais attention aux dérapages !

Bouilloire à détartrer

Une bouilloire électrique finit
toujours par s'encrasser, la résis-
tance se couvre de calcaire, chauffe
moins bien et finit parfois par
prendre des odeurs pas très appé-
tissantes. Pour la nettoyer, la solution
la plus simple, mais aussi la plus chère, consiste à
acheter un produit « fait pour » et à suivre scrupuleusement le mode d'emploi (faire bouillir dans
un certain volume d'eau, puis effectuer plusieurs
cycles de chauffe à l'eau claire). À défaut, faire
de même avec un mélange (50/50) d'eau et de
vinaigre blanc. C'est aussi simple, aussi efficace
– et moins cher.

  (Voir aussi *Cafetière*, p. 27, notamment pour
les « contre indications »… bidon.)

Bouteille ou carafe encrassée

Pour nettoyer l'une ou l'autre, la méthode classique consiste à y verser du vinaigre blanc, d'y
ajouter une petite poignée de riz et de fortement
secouer, après avoir bouché la bouteille ou la
carafe.

Si elles sont très entartrées ou très encrassées, on emploie la même méthode en ajoutant du gros sel au vinaigre blanc.

Vous pouvez accélérer le nettoyage grâce à un bon vieux goupillon (méthode classique) ou au lave-vaisselle (méthode moderne), à condition que le flacon rentre en hauteur : attention au bras qui tourne au-dessus! N'oubliez pas de décoller préalablement l'étiquette d'une bouteille, sinon vous risquez de boucher le filtre!

Si c'est vraiment très, très encrassé, laissez mariner une solution de gros sel et de vinaigre blanc à l'intérieur d'une bouteille remplie à ras bord. Puis secouez vigoureusement la bouteille pleine au tiers de vinaigre blanc et d'une poignée de gros sel pas encore dissous, qui va ajouter un effet abrasif.

Échec au vinaigre

Quelles que soient sa concentration et sa température, le vinaigre ne peut rien faire dans certains cas. Les bouteilles d'apéritifs anisés, pour ne citer qu'elles, sont purement et simplement irrécupérables : vous ne parviendrez jamais à les débarrasser de l'odeur d'anis, l'une des plus tenaces qui soient.

Brosses à cheveux

(Voir *Peignes et brosses à cheveux*, p. 57.)

Cafetière à détartrer

Sauf préconisations particulières (toujours lire – et ranger – les modes d'emploi!), on les détartre comme les bouilloires, mais toujours avec du vinaigre blanc, de préférence au détartrant du commerce. Pour rincer, lancez plusieurs cycles de chauffe à l'eau claire – et sans filtre!

À propos des modes d'emploi, certains fabricants, qui vendent aussi des détartrants «maison», déconseillent formellement l'emploi du vinaigre blanc pour détartrer leur petite merveille. Il est bien évident que leur détartrant maison n'a qu'un avantage sur le vinaigre blanc : il coûte plus cher! Deux solutions : soit vous ignorez la préconisation (le ciel ne vous tombera pas sur la tête, même sous forme de pluie acide) ; soit vous achetez une cafetière d'une autre marque, moins susceptible.

Il en va de même avec les bouilloires.

Casseroles, faitouts, woks… à détartrer ou détacher

La méthode, simplissime, n'a qu'un inconvénient : son odeur. Il faut en effet verser environ deux centimètres de vinaigre au fond du récipient et chauffer jusqu'à ébullition – puis couper le feu à ce moment-là.

Une variante, inodore et moins efficace, consiste à laisser tremper une demi-journée, à froid. Solution : commencez par la variante et si ça ne suffit pas, allumez le feu.

Chats (litières)

Le chat est un cas particulier, en ce qui concerne sa litière (et l'odeur particulièrement tenace de ses rejets). Le vinaigre blanc est très séduisant sur le papier, pour le grand nettoyage régulier du bac à litière. Il désinfecte et assainit presque aussi bien que l'eau de Javel. Ce « presque » a son

importance, quand on sait que, en plus, l'eau de Javel agit comme un aimant sur les chats, ce qui les incite à aller dans leur bac plutôt qu'ailleurs. Même si vous n'aimez pas la Javel, employez-la au moins une fois sur deux pour le bac à chat… sachant pourtant que les bacs du commerce qui résistent à l'eau de Javel sont une infime minorité : comprend qui peut !

Chats (répulsif)

Attention à l'usage du vinaigre pour le nettoyage du bac à litière. Pour certains chats, le vinaigre est en effet ressenti comme un répulsif et peut inciter (dans les cas extrêmes) le chat à délaisser sa litière, au lieu de l'y attirer.

Chromes brillants

La méthode, ultraclassique, est bien connue : il suffit de frotter doucement avec une lingette (ou, mieux, un chiffon de microfibres) imbibée de vinaigre blanc non dilué. Cette méthode a le très gros avantage de parfaitement convenir aux vrais chromes, qui sont plutôt rares, tout en respectant la plupart des faux, y compris les placages brillants sur plastiques des voitures, motos, mobylettes et vélos actuels. (Faites quand même d'abord un essai, à un endroit peu visible.)

Coquilles d'œufs

Un filet de vinaigre dans l'eau de cuisson des œufs destinés à être cuits à la coque ou durs est censé empêcher les coquilles de casser. Il faut savoir que cela dépend au moins autant de la qualité de la coquille que de la « recette ». Ainsi que de la température de départ : laisser l'œuf se réchauffer tout doucement, ne serait-ce que jusqu'à 10 °C avant de le plonger dans l'eau bouillante, limite aussi la casse.

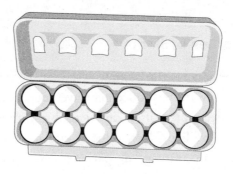

Couleurs baladeuses

Un nouveau vêtement qui déteint (ou risque de déteindre) se soigne par un trempage dans une bassine d'eau vinaigrée tiède. Attention, gardez la main légère sur le vinaigre, même s'il est moins agressif que les suivants. L'eau de Javel est le «décolorant» le plus redoutable (et le plus connu), d'autres détachants de base peuvent aussi faire pâlir les couleurs, comme l'alcool ou l'ammoniaque. L'acétone également, détache quasiment tout – y compris le support, parfois! À réserver aux cas graves, voire désespérés. Le vinaigre, lui, se distingue encore grâce à ses deux propriétés antagonistes : il détache aussi bien qu'il fixe.

Le petit coin caché

N'oubliez jamais la règle de l'essai sur (ou dans) un coin, un envers, un ourlet... Bref, à un endroit qui ne se voit pas, ou le moins possible : on ne sait jamais ce qui peut arriver, avec les couleurs!

Cuisinière

Qu'il s'agisse des brûleurs d'une cuisinière à gaz ou des plaques électriques, le vinaigre blanc est toujours utile pour dégraisser et enlever les traces noires, sans fragiliser le support. Tout ce qui est démontable (brûleurs entre autres) et très encrassé gagne à tremper pendant une demi-journée (*ou peut-être une nuit*) dans du vinaigre pur. Le résultat est spectaculaire au rinçage.

Cuivre

Difficile de faire mieux que le célèbre Miror, même si le vinaigre blanc offre l'avantage d'être un produit naturel, non toxique. Attention! Comme pour l'argent, les résidus de nettoyage sont très toxiques, eux.

Dégrippant

(Voir *Antirouille*, p. 21.)

Désherbant

Ce n'est pas un produit miracle, mais un produit à essayer en premier, en pulvérisation sur les mauvaises herbes, car le vinaigre blanc (à employer pur) est inoffensif pour l'environnement, contrairement à la quasi-totalité des «vrais» désherbants.

Détartrant

Le vinaigre blanc est l'ennemi désigné du calcaire. Et là, ce n'est pas simplement une question d'écologie : il est le plus efficace, et de loin ! Outre ses usages précis, détaillés dans cet abécédaire, le mode d'emploi général reste à peu près toujours le même. Pour éliminer les dépôts calcaires, utilisez le vinaigre pur et laissez agir pendant au moins 10 minutes avant de rincer. Si cela ne suffit pas, chauffez le vinaigre. Petite astuce : si votre eau est particulièrement calcaire, ayez un petit carré de tissu éponge sous la main en permanence avec lequel vous essuierez sommairement robinets et mitigeurs quand ils ont été éclaboussés, au lieu de laisser les gouttes d'eau sécher sur place. Vous diviserez ainsi par 3 à 5 la fréquence des détartrages.

Diapositives

D'accord, elles sont démodées, mais… d'une part il y a des photos qu'on ne pourra pas refaire (Lulu à trois ans) et d'autre part leur qualité d'image, elle, est loin d'être ridicule. (Il faut *au moins* 16 millions de pixels pour avoir l'équivalent d'un Kodachrome 24 x 36 – dont la stabilité des couleurs est garantie pendant 90 ans !)

Une diapo tachée doit d'abord être scannée en l'état dans la plus haute définition possible, pour être éventuellement restaurée numériquement sur l'ordi au cas où le traitement la dégraderait encore plus, au lieu de la restaurer. En effet, le traitement n'est pas sans risque… qui consiste, avec d'infinies précautions, à tamponner la tache fragment par fragment, sans mouiller ou le moins possible, avec de l'eau vinaigrée au vinaigre blanc pur. Cela peut aussi bien éliminer taches et traces, qu'en créer d'autres. Il vaut mieux le savoir.

Douche (vitre de)

Il ne suffit pas de l'essuyer. Il faut le faire bien sûr, mais de préférence avec un tissu microfibres le plus sec possible, à peine humecté d'eau vinaigrée : ça glisse tout seul et cela donne un résultat étincelant au prix d'un minimum d'efforts. Tant que vous y êtes, profitez-en pour essuyer robinets et mitigeurs (voir *Détartrant*, p. 33).

Étiquettes à décoller

C'est aussi efficace sur les étiquettes de bocaux ou bouteilles à réutiliser qui résistent au trempage prolongé que sur les vignettes des pare-brise. Essayez d'abord d'en décoller le plus possible à la main, puis passez ce qui reste au vinaigre blanc pur, le plus chaud possible.

Éviers, vasques, WC...

Le vinaigre blanc peut aussi servir à nettoyer, détartrer, assainir et blanchir les faïences ou porcelaines d'éviers et sanitaires. Il chasse en outre les mauvaises odeurs, et de façon radicale car il détruit les microbes dont l'activité produit ces mauvaises odeurs dans ce milieu privilégié (pour eux) que sont les pièces humides et chaudes.

Il y a deux modes d'emploi, complémentaires. Frottez avec un chiffon mouillé de vinaigre d'alcool. S'il reste çà et là des traces de tartre, recommencez avec du vinaigre blanc chaud.

Pour désodoriser (surtout les toilettes), vaporisez du vinaigre blanc, pur ou dilué. Il en va de même dans les sanitaires et sur les robinets à détartrer.

Éviers, vasques à déboucher

Les produits traditionnellement dédiés à cet usage sont à base de soude caustique, un produit certes très efficace mais également très dangereux. Il existe aussi d'autres produits, sans soude mais pas sans danger non plus. Avant de faire appel à un tel «débouche-évier», vous pouvez essayer avec un mélange de bicarbonate de soude et de vinaigre, de préférence chaud, à verser dans le tuyau. Les résultats sont parfois étonnamment efficaces et de plus, cela désodorise l'évier ou la vasque, sans agresser la tuyauterie.

Fer à repasser

Ils ont tous le même problème : la semelle qui laisser passer la vapeur, voire le réservoir d'eau lui-même, s'entartre et se dégrade sous l'action du tartre. Il existe des produits spéciaux, mais le vinaigre blanc remplit le même office, avec la même efficacité, sans produits chimiques ni contre-indication. L'usage le plus courant consiste à laver la semelle avec un chiffon imbibé de vinaigre, mais on peut aussi, avec précaution, remplir le réservoir du fer avec de l'eau à peine vinaigrée (à 2 % environ).

Frigo au jour le jour

On applique du vinaigre sur les parois et les étagères du réfrigérateur pour le désinfecter après l'avoir nettoyé. Cela sert aussi à le désodoriser, le plus simplement du monde si on place un récipient ouvert contenant un fond de vinaigre blanc pur sur une étagère, de préférence à peu près au milieu du volume.

Attention ! Un tel récipient, ouvert et contenant un liquide, ne demande qu'à se renverser au premier faux mouvement. Limitez les risques en le poussant vers ou contre la paroi du fond.

Frigo, glacière ou congélateur « pourri »

Ça arrive, après une longue panne de courant ou après avoir laissé la porte ouverte avant de partir en vacances (ne riez pas : ça s'est vu) ou encore après avoir oublié la moitié d'un poulet dans la glacière, d'une fin d'été au printemps

suivant. Après avoir nettoyé, Il faut procéder comme ci-dessus, mais avec du vinaigre très chaud et si possible en remettant le moteur en marche. Refermez et oubliez le tout pendant quelques heures. Pour la glacière, renouvelez le vinaigre chaud toutes les heures.

38

Attention! Il faut parfois recommencer le lendemain. Le vinaigre blanc est un génie, c'est entendu, mais c'est un génie calme et méthodique, qui prend son temps.

Fruits (lavage ou rinçage)

(Voir *Légumes (lavage ou rinçage)*, p. 45.)

Graisse et gras

Pour venir à bout d'une vaisselle particulièrement grasse, que ce soit à la main ou à la machine, rajoutez dans le bac un bon verre de vinaigre blanc. Plus c'est chaud, mieux ça dégraisse.

Habits neufs

S'ils sont un peu trop raides, un bon bain tiède au vinaigre les assouplira. Ou, plus simple, un petit tour de lave-linge de froid à tiède (30°C).

Inox (acier inoxydable)

Qu'on en fasse des casseroles ou des éviers, l'entretien de l'acier inoxydable est à peu près le même : en usage courant, l'eau savonneuse ou le produit à vaisselle suffisent.

Les traces blanches laissées par le calcaire disparaissent grâce à une solution de vinaigre blanc et d'eau. Si le calcaire persiste, ajoutez du sel et (ou) utilisez le vinaigre pur… Inutile de déverser des quantités de vinaigre pur : même à une assez faible concentration, il est d'autant plus efficace qu'on lui laisse du temps pour agir.

L'évier demande en outre à être désinfecté au moins une fois par semaine. Fermez la bonde et remplissez d'eau additionnée d'un demi-verre à un verre de vinaigre blanc (selon le volume de l'évier). Ce même vinaigre blanc est tout aussi efficace pour détartrer de l'inox chaque fois que c'est nécessaire, et plus encore en le chauffant –

ce qui est plus facile à faire dans une casserole que sur un évier.

À l'impossible, nul n'est tenu

Un petit conseil préventif : mieux vaut éviter les éviers en inox dans les logements où l'eau est très calcaire... De même que les éviers blancs ou de couleur très sombre, s'ils sont en matériaux synthétiques. Et dans tous les cas, les salissures se voient mieux sur les sanitaires foncés que sur les clairs.

Insectes

On en éloigne une bonne partie en disposant des petits récipients (bien stables!) près des portes et fenêtres, à moitié pleins de vinaigre blanc. En revanche, le vinaigre peut attirer les petits moucherons silencieux et inoffensifs que sont les drosophiles. C'est surtout vrai avec le vinaigre de vin, de cidre ou les fruits frais eux-mêmes... Pas de panique! C'est (bon) signe que votre maison n'est pas bourrée de pesticides!

(Voir aussi *Piqûres*, p. 103.)

Insectes du jardin

(Voir *Parasites du jardin*, p. 57.)

Javel et vinaigre blanc

Le vinaigre blanc est un produit alternatif à l'eau de Javel, pour détacher, assainir, éclaircir, etc. Il possède d'autres vertus, assouplissantes entre autres, que n'a pas la Javel… Sa vertu principale réside dans le fait que son intervention, beaucoup plus douce, ne provoque pas aussi facilement des dégâts et, lorsque cela se produit exceptionnellement, ces dégâts sont mineurs…

En revanche, il faut être honnête et reconnaître que le vinaigre blanc n'est pas tout à fait aussi efficace que l'eau de Javel pour tuer tous les microbes (virus, bactéries et champignons).

Méfiez-vous d'une certaine écologie extrémiste qui préconise actuellement de renoncer totalement à l'eau de Javel. La solution se situe comme presque toujours entre les deux. Faites un grand lavage des sols et des pièces humides une fois par mois à l'eau de Javel bien diluée et rincez à l'eau vinaigrée en usage courant. Vos carrelages et revêtements ne se décoloreront pas, ou beaucoup moins vite, et votre maison restera parfaitement saine.

Lavage du lave-vaisselle

Un lave-vaisselle se nettoie deux fois par an, en le faisant tourner à vide avec un produit spécial à la place du détergent (poudre, pastille ou liquide). Vous pouvez remplacer le produit spécial par du vinaigre blanc pur (un verre environ), au moins une fois par an en alternance avec le produit du commerce, sinon les deux fois. Il n'y a pas de contre-indication : seule l'odeur du lave-vaisselle au fil des jours vous donnera la réponse.

Un prix imbattable

Le prix de revient du vinaigre à la place du liquide de rinçage ne laisse pas non plus indifférent : le vinaigre blanc coûte environ trois fois moins cher que le moins cher des liquides de rinçage, et jusqu'à huit à dix fois moins cher pour les produits de marques connues – la publicité coûte cher !

Lave-linge

Vous pouvez faire de sérieuses économies d'adoucissant, tout simplement en le remplaçant par une (deux au maximum) cuillères à soupe de vinaigre blanc par cycle de lavage.

Pour détartrer le lave-linge avant que le calcaire de l'eau n'ait fait des dégâts, faites-le tourner à vide avec du vinaigre une à deux fois par an. (Même principe que pour le lave-vaisselle.)

Odeurs. Si du linge a été oublié dans le lave-linge, et qu'il commence à p... sentir, versez un demi-litre de vinaigre blanc dans le tambour et faites-le redémarrer pour un cycle court : il redeviendra tout propre et inodore.

43

Lave-vaisselle (rinçage)

Le liquide de rinçage gagne quasiment toujours et à tout point de vue à être remplacé par du vinaigre blanc pur. L'avantage le plus visible, c'est le brillant des verres, nettement amélioré dans la plupart des cas.

Il arrive cependant qu'un cycle avec liquide de rinçage soit nécessaire, tous les trois, quatre ou dix cycles de lavage. (Ou jamais.) Cette fréquence dépend en réalité de la qualité de l'eau (pas seulement de sa dureté, d'ailleurs). Seule l'observation au jour le jour vous donnera une réponse précise, mais il est assez rare que le vinaigre ne suffise pas.

Autre avantage du vinaigre blanc pour cet usage : il est totalement inoffensif, ce qui n'est pas forcément le cas des produits industriels. Expérience simple. Après un lavage *avec* le liquide de rinçage, sortez un verre du lave-vaisselle, une fois qu'il est bien séché. Versez de l'eau dedans : elle mousse très légèrement, donc elle contient quelque chose que vous absorbez quotidiennement. Quelque chose qui n'est pas dangereux, mais qui n'est pas forcément agréable non plus. Si vous remplacez le liquide de rinçage par du vinaigre blanc (pur), pas de mousse, pas de souci, pas le moindre goût et le résultat du séchage est même, d'après nos observations, nettement plus brillant dans la plupart des cas – surtout les verres.

44

Il n'y a pas que le tartre

À l'inverse de la plupart des eaux trop calcaires, il y a des régions où l'eau est très, trop douce (sans calcaire, entre autres). Le problème n'est plus alors la lutte contre le tartre, mais contre la corrosion... qui se révèle en tout état de cause beaucoup plus lente : il faut quinze à vingt ans pour qu'un robinet devienne poreux en eau acide, alors que seulement quelques années de tartre en eau dure suffisent à le détruire.

Légumes (épluchage)

Au fur et à mesure de l'épluchage, rincez les légumes dans une eau vinaigrée, même faiblement : ils noirciront beaucoup moins vite quand vous les sortirez, seront mieux protégés contre les germes (qui sont partout!) et resteront plus fermes.

Légumes (lavage ou rinçage)

Au lieu de laver les fruits et légumes sous un filet d'eau en la gaspillant joyeusement, faites-le en remplissant l'évier d'eau claire en y ajoutant un filet d'eau vinaigrée, qui ne leur donnera aucun goût mais fera tomber immédiatement les éventuelles bestioles qui les habitent – et qui attestent que ces produits sont les plus naturels possibles.

L'eau légèrement vinaigrée a aussi le don de raviver et raffermir les légumes fragiles un peu flapis, comme les feuilles de salade.

Protection naturelle

Important ! Ne lavez ou rincez vos fruits et légumes qu'au tout dernier moment : la pellicule « sale » ou les feuilles abîmées du pourtour forment autant de protections parfaites, et parfaitement naturelles, pour les fruits ou les légumes qu'ils enveloppent. En les nettoyant, vous les rendez certes consommables, mais vous les rendez aussi très vulnérables aux agressions extérieures.

Lunettes (verres de)

Les lunettes sont plus souvent en « verre organique » qu'en verre minéral aujourd'hui ; autrement dit, leurs verres sont en plastique, le plus souvent aussi recouverts d'une pellicule de quartz pour éviter les rayures. Les produits de nettoyage du commerce sont très commodes, qu'ils soient en aérosol à pulvériser ou qu'ils imprègnent une petite lingette jetable… Mais, outre leur coût, ces produits laissent un léger dépôt sur les verres à la longue, notamment sur les bords. On

obtient un aussi bon résultat en prenant une goutte de savon liquide entre le pouce et l'index mouillés (ou en passant ces deux doigts sur un savon humide), pour en badigeonner les deux côtés des deux verres (mouillés aussi) avant de rincer abondamment sous l'eau courante. Mais, détail qui fait la différence, le résultat sera encore meilleur, supérieur même à celui obtenu avec les produits du commerce, grâce à un ultime rinçage à l'eau vinaigrée – qui se révèle irremplaçable pour donner un éclat et une transparence impossible à obtenir avec n'importe quel autre produit. Sans compter que les verres (ou faux verres) mettent deux à trois fois plus longtemps à s'empoussiérer de nouveau, ainsi vinaigrés.

Et rassurez-vous : vos lunettes ne dégageront pas la moindre odeur de vinaigre. Même de très près !

Main (pâte à la)

Si vous avez les mains très sales, par exemple après une séance de mécanique (ne serait-ce que changer une roue de voiture : ça arrive à tout le monde), un bon lavage vous évitera certes de déposer des taches tenaces sur tout ce que vous allez toucher par la suite, mais il laissera des traces indélébiles («de crasse propre») sur vos mains… sauf si vous frottez ces traces, une fois rentré à la maison, avec un mélange pâteux de vinaigre blanc et de farine. Cette pâte est quasiment aussi efficace que celles à décrasser les mains de mécaniciens professionnels mais n'est pas abrasive et ne fragilise pas votre peau.

Mains sales en pleine nature

Vous venez de changer une roue et vous vous retrouvez avec les mains noires, sans eau ni savon ni même un chiffon. D'abord, pour la prochaine fois, prévoyez de toujours laisser une petite bouteille d'eau (potable, à renouveler) et un chiffon propre dans la voiture. Et là, tout de suite, pour éviter de saloper tout ce que vous allez toucher, frottez-vous les mains dans une boule d'herbe verte, humide, éventuellement mêlée à du sable.

D'accord, ça n'a rien à voir avec le vinaigre, mais ça peut rendre service – comme lui.

Meubles en bois, bois tissé, rotin...

Légers et confortables, ces meubles sont aussi un véritable cauchemar du ménage, avec leurs superpositions et leurs coins inextricables… Ils se nettoient pourtant, mieux qu'à l'eau savonneuse ou avec des produits spécifiques, sur lingettes ou non, au vinaigre blanc plus ou moins dilué : à l'eau vinaigrée en entretien courant, au vinaigre dilué de moitié pour un décapage plus sérieux.

Micro-ondes

Ce petit engin, devenu aussi indispensable dans la vie courante que les casseroles en cuisine, se nettoie « presque » tout seul, grâce à un récipient au tiers plein (ça risque de déborder si c'est trop plein) d'un mélange de vinaigre blanc et d'eau (50/50), que l'on porte à ébullition à l'intérieur de l'appareil.

Attention ! N'oubliez pas d'arrêter le micro-ondes dès que le mélange bout, et laissez-le fermé pendant une bonne heure. Si le résultat ne vous satisfait pas, recommencez. Essuyez l'intérieur si nécessaire à la fin de la toute dernière fois, et laissez la porte ouverte.

Économie d'énergie

Appuyez sur «Stop» pour éteindre la lumière dans le micro-ondes, quand la porte est ouverte : il n'y a pas de petites économies !

Moquettes et tapis

50

Le nettoyage des moquettes et des tapis est un très gros travail, qui met en œuvre des produits pas toujours très sains pour l'atmosphère (toujours plus ou moins confinée) d'un logement. Après un très sérieux dépoussiérage, commencez toujours par frotter votre tapis ou moquette à la brosse, avec du vinaigre blanc dilué aux trois quarts. Ne l'inondez pas mais faites bien pénétrer le vinaigre. Si vous trouvez des taches en chemin, traitez-les de même, avec quelques gouttes de vinaigre pur. Dans les rares cas où le résultat ne vous paraît pas satisfaisant après séchage, il sera toujours temps de faire intervenir les produits chimiques…

Le vinaigre a un autre effet bénéfique : il ravive les couleurs un peu passées.

Mouches

Face à une invasion ponctuelle de mouches, ce qui peut toujours se produire, un ou plusieurs récipients de vinaigre chauffé les éloignent radicalement... mais il faut supporter ce «traitement»... qui sent fort – très fort.

On n'attrape pas les mouches avec du vinaigre

Rien de bien compliqué dans cette vieille expression française : les mouches (sauf les drosophiles bien sûr) sont attirées par le sucre, encore un peu par le vin et pas du tout par le vinaigre – qui les éloigne, au contraire. Ce presque proverbe a été rendu célèbre par notre bonne comtesse de Ségur (née Rostopchine), qui était un peu la J.K. Rowling de son époque, dans sa formulation originelle : «*On ne prend pas les mouches avec du vinaigre.*»

Mouillant

Le vinaigre est un précieux allié pour éviter d'inonder ou tout simplement de gaspiller de l'eau en mouillant les tissus et autres textiles sur lesquels l'eau a tendance à glisser ou à perler en surface avant de pénétrer au cœur des fibres. Un léger mouillage, voire un simple tamponnage à l'eau vinaigrée fait tout de suite pénétrer l'eau entre les fibres et rend les agents nettoyants (à commencer par le vinaigre lui-même) immédiatement actifs.

Odeurs, déodorants et désodorisants

52

Le vinaigre est un excellent déodorant (voir encadré) qui ne tache ni ne pollue. Dans un premier temps, l'odeur du vinaigre masque celle qui est désagréable ; et au bout d'un délai de quelques minutes à une heure, cette odeur elle-même s'évanouit.

Désodorismes

L'affaire n'est pas simple. On dit couramment *déodorant* pour parler des produits anti-odeurs corporelles, *désodorisant* pour ceux qui masquent les odeurs à la maison ou à l'extérieur... Mais l'Académie française voudrait nous faire dire plus simplement *désodorant* dans tous les cas, sans grand succès jusqu'à présent... mais on pourra dire qu'on a essayé !

Quant aux différences entre l'absorption et l'adsorption, on en parlera une autre fois, si vous le voulez bien.

Odeurs de friture, de lendemain de fête, de tabac...

Les pires odeurs sont celles du lendemain : non seulement elles ont ranci et sont devenues plus désagréables que les «fraîches», mais en plus elles sont maintenant plus tenaces. Donc, intervenez aussi vite que possible !

Faute de mieux, si vous voulez aller vous coucher presque tout de suite, chauffez au moins une bonne casserole de vinaigre blanc jusqu'à ébullition et posez-la dans la pièce. Vous pouvez accélérer la désodorisation en pulvérisant du vinaigre blanc (toujours pur) dans la pièce, en brouillard très fin, sans mouiller si possible. N'en mettez pas trop, vous auriez alors du mal à vous débarrasser de l'odeur… du vinaigre – qui aide très bien à soulager les maux de tête, cela dit !

Odeurs dans les chaussures

Tamponnez l'intérieur des chaussures avec de l'eau vinaigrée et laissez bien sécher, au moins quelques heures. Non seulement les odeurs disparaîtront, mais elles mettront plus longtemps à revenir.

53

Si vous utilisez des semelles intérieures c'est encore plus facile, en les enlevant pour les nettoyer. Et il est encore plus malin d'en posséder deux jeux : l'un qui sèche pendant que l'autre... ne pue pas – qu'alliez-vous penser !

Odeurs de cuisine

(Voir *Digestion*, p. 96.)

Odeurs de peinture

Un fond de bassine de vinaigre blanc posé au milieu d'une pièce peut atténuer les odeurs de peinture ou les rendre supportables – sans les supprimer. Cela rend également les émanations de peinture moins toxiques. Notons à ce sujet que peinture sans odeur ne signifie pas sans émanations : elles sont même plus dangereuses parce qu'elles passent inaperçues.

(Attention à ne pas marcher dans la bassine !)

Odeurs de renfermé

Dans un placard, un cagibi… on applique toujours le même principe : un récipient quelconque (stable !) avec un ou deux verres de vinaigre blanc dedans. Laissez-le en place si l'endroit est rarement ouvert.

Pour les odeurs de renfermé dans toute une pièce, laissez-y un seau avec une grosse boule d'herbes sèches imbibées de vinaigre blanc pur pendant au moins une demi-journée, voire davantage : tout dépend du temps pendant lequel la pièce est restée fermée.

L'odeur révélatrice

Attention ! Certaines odeurs « de renfermé » particulièrement tenaces ont en réalité une origine bien précise (souris morte, fruit oublié...) qu'il faut éliminer d'abord – ne serait-ce que par hygiène. Les « mauvaises odeurs » sont des signaux d'alerte 100 % naturels, qu'il ne faut surtout pas négliger. Commencez toujours par inspecter méticuleusement tout endroit fermé « qui pue ». Le mauvais réflexe est d'y pulvériser un produit chimique synthétique qui « sent meilleur », mais ne fait que masquer le problème au lieu de le résoudre.

Odeurs sous les bras

Si elles sont désagréables (sinon pourquoi pas ? c'est bien naturel), il suffit de se passer un gant de toilette ou autre linge imprégné de vinaigre sous les aisselles. Rincez le gant, pas les aisselles. Mais laissez-les sécher avant de vous rhabiller.

Odeurs sur coussins

Ce sont des odeurs qui sont difficiles à combattre, dans la mesure où elles s'incrustent au cœur des coussins. Le nettoyage (ou lavage quand c'est possible) au vinaigre blanc pur permet (toujours mais parfois pas tout de suite) d'éliminer les odeurs les plus tenaces, notamment celle du vomi d'enfant ou du pipi de chat. Si vous êtes confronté à ce problème en voiture, vous serez bien content d'avoir un peu de vinaigre blanc à portée de la main. Glissez-le juste à côté du « Lagerfeld » jaune pétant : comme ça, vous êtes sûr de le trouver tout de suite.

Parasites du jardin

Avant toute intervention, essayez de pulvériser les plantes parasitées avec de l'eau vinaigrée. Sur les parasites les plus courants, comme les pucerons des rosiers, les résultats sont visibles au bout d'une heure ou deux. Le vinaigre est quasiment (avec la décoction de tabac) le seul insecticide sans danger. Ainsi que le moins cher. C'est pourquoi il faut toujours commencer par lui!

57

Peignes et brosses à cheveux

Y a-t-il des tâches plus dégoûtantes que le nettoyage de ces ustensiles, quand ils sont garnis de cheveux plus ou moins gras et emmêlés? Pas tant que ça à vrai dire. C'est même si peu appétissant qu'on remet au lendemain, et au lendemain encore… Et que cela se termine par l'achat d'une brosse neuve!

Pour simplifier la corvée, laissez tremper peignes et brosses dans l'eau vinaigrée chaude (pas brûlante!) jusqu'à ce qu'elle refroidisse. Les cheveux seront alors plus faciles à démêler, les poils des brosses retrouveront leur souplesse et l'ensemble sera désinfecté par la même occasion.

Pinceau solidifié

La peinture a durci sur le pinceau oublié dans un coin. Ne le jetez pas (pas tout de suite en tout cas) avant d'avoir essayé un truc de la dernière chance : faire bouillir le pinceau dans une petite casserole de vinaigre blanc. Cela « marche » à peu près une fois sur deux, ce qui n'est pas si mal pour un cas désespéré. Il faut parfois y passer du temps et renouveler le vinaigre aussi, lorsque la peinture commence à se dissoudre. Mais bouchez-vous le nez ou faites ça à l'extérieur : le vinaigre chaud dégage une odeur agressive, pénétrante et pour tout dire fort dérangeante... deux fois sur deux.

Contre-indication : parfois, les poils suivent la peinture et le pinceau se déplume. Mais comme on dit, perdu pour perdu...

Planche à découper

Qu'elle soit en bois ou en plastique, c'est un vrai nid à microbes qui gagnera, en plus du lavage classique, à être frottée à la brosse et au vinaigre blanc pur. Pour savoir si vous avez bien travaillé, reniflez-la de près : si elle ne dégage plus la moindre odeur, c'est que le vinaigre blanc aura joué à fond son rôle de désodorisant, donc, on peut le supposer, de désinfectant aussi.

Un petit truc utile : n'essuyez pas la planche ; laissez sécher le vinaigre dessus, ce qui peaufinera sa désinfection.

Bois ou plastique

Les règlements européens tendent à faire disparaître les planches à découper en bois au profit des planches en plastique (polypropylène, sauf erreur). Toutes deux se marquent de rainures plus ou moins profondes au fond desquelles les microbes se tapissent... Mais, effectivement, avec les premières on mange des fragments de bois, alors qu'avec les secondes, on avale des fragments de plastique : il y a donc progrès !

Plis et faux plis tenaces

Il est rare qu'un faux pli accidentel soit aussi tenace qu'un ancien pli (d'ourlet, par exemple), mais cela arrive et, dans les deux cas, il n'y a qu'un moyen de l'atténuer, voire de le faire disparaître : en le mouillant et en le frottant (ou, mieux, en le mettant en machine) avec du vinaigre blanc dilué de moitié. Ne séchez pas complètement et repassez tant que c'est humide. Le vinaigre blanc atténue la trace en relief et ravive la couleur à l'endroit du pli… Mais avec la meilleure volonté du monde, il ne peut pas recréer de la matière là où elle a disparu.

Pots de fleurs et jardinières tachés

Certains pots se tachent de blanc, en partie haute ou sur les côtés. Inutile de faire baisser le niveau du terreau : c'est dû à la mauvaise qualité de la terre cuite. Ce défaut (remontée de salpêtre) peut se manifester aussi bien sur des pots ordinaires que sur de très belles et très coûteuses jardinières.

Vous allez devoir consacrer quelques minutes par semaine à ce pot. Frottez-le énergiquement avec un tampon abrasif à vaisselle imbibé de vinaigre blanc pur. Épongez ensuite avec une éponge gorgée d'eau claire. C'est tout… Mais il faut recommencer chaque semaine, sachant qu'à la longue le problème disparaîtra.

Faux défauts des faux pots

Ces remontées blanchâtres de salpêtre dans la terre cuite ne sont pas rares, à en juger par les pots de plastique actuels, si bien imités qu'il faut les tapoter pour les distinguer des pots de terre. Certains imitent si bien ces derniers qu'ils portent parfois de « faux défauts » parmi lesquels des filets clairs simulent ces mêmes remontées de salpêtre !

61

Poubelle

Pour éradiquer toutes les mauvaises odeurs, pulvérisez légèrement d'eau vinaigrée l'intérieur de votre poubelle avant de changer le sac ; exactement comme pour se débarrasser des pucerons du jardin, mais sans mouiller, ou le moins possible. Laissez bien sécher la poubelle (ouverte mais debout, sinon l'humidité se « re-condense » au fur et à mesure qu'elle s'évapore) avant de changer le sac.

Poux

La lutte contre les poux ne se limite pas à la tête : il faut aussi traiter la literie et les vêtements, sinon, à peine partis ils reviendront. La solution la plus simple consiste à laver tout ce linge à plus de 60 °C. Pour les vêtements qui ne supportent pas cette température (voir leur étiquette), l'ajout de vinaigre blanc dans le bac à eau de Javel permet généralement de se débarrasser des poux et des lentes (leurs larves) sans bobo pour le linge.

Récupération de vinaigre blanc

Le vinaigre qui sert de conservateur à toutes sortes de… conserves, des cornichons aux fruits aigres-doux, peut être récupéré et réutilisé comme nettoyant ménager, ne serait-ce que dans les éviers, après avoir été sommairement filtré… Sachant qu'en plus de sentir le vinaigre il sent les cornichons (ou autres), maintenant ! C'est le seul frein, pas bien méchant, à sa réutilisation.

Réfrigérateur

(Voir *Frigo*, p. 37.)

Resalir moins vite

Tout ce qu'on lave ou rince au vinaigre (eau vinaigrée à 5 ou 10 %, pas plus), des sols carrelés aux lunettes, finit par se resalir certes, mais deux à trois fois moins vite que ce qui a été rincé à l'eau claire ou avec un autre produit.

Robinets et pieds de robinets

Le vinaigre est un bon détartrant pour les éviers, la robinetterie, les toilettes, employé pur… à condition de le laisser agir une dizaine de minutes aux endroits les plus encrassés, avant de rincer. Pour détartrer les pieds de robinets ou les tours d'éviers (là où ça s'encrasse bien tranquillement et où c'est difficile à atteindre), frottez au vinaigre blanc pur et, après séchage partiel, essuyez avec un chiffon propre, sans rincer.

Robinet de machine à laver qui fuit

Si le robinet de lave-linge ou de lave-vaisselle fuit ou suinte, son joint est plus facile à changer que beaucoup d'autres, car il se serre et se desserre en principe à la main. S'il est coincé, utilisez une pince multiprise dont on protège les mâchoires à l'aide d'un chiffon ou d'un bout de cuir. (Plus sophistiquée mais aussi plus commode, la pince «à tuyaux» des plombiers possède des mâchoires protégées par deux gaines de plastique… Mais, comme on dit, il faut en avoir l'usage!) Il suffit de nettoyer le joint et son siège avec de l'eau additionnée de vinaigre blanc (ou du vinaigre blanc pur), et de gratter le tartre… Remontez le tout, une fois nettoyé. Au mieux, c'est réparé. Au pire, cela vous laissera le temps de trouver un joint neuf dans le commerce.

La chose à ne surtout pas faire : serrer plus fort pour arrêter la fuite – ce qui provoquerait des dégâts beaucoup plus importants.

Jamais le dimanche!

Débrouillez-vous pour effectuer ce genre de petit bricolage (et bien d'autres!) quand les quincailliers ou les magasins de bricolage sont ouverts. En effet, le joint peut se rompre au démontage et il vaut mieux pouvoir en acheter un autre sans tarder!

Rouille sur fer ou acier

Cela concerne surtout les outils de jardin, et ça tombe bien parce que c'est au jardin que vous allez trouver la moitié de la solution. Une boule d'herbes sèches est en effet parfaite, imbibée de vinaigre blanc, pour frotter les outils rouillés et leur rendre, sinon leur éclat, au moins un aspect poli, décent et une bonne «glisse» dans la terre.

Le même procédé est bien entendu tout aussi efficace hors du jardin. Mais on n'a pas forcément de l'herbe sèche sous la main… que l'on remplacera alors par une boule de papier journal.

Rouille sur petits objets

Les petites pièces métalliques seront régénérées par un bain prolongé (toute une nuit) dans du vinaigre pur ou dilué 50/50.

Soie ternie

Le vinaigre blanc très dilué peut raviver les couleurs de tissus fragiles ou très fragiles, grâce à un bon bain froid d'eau très légèrement vinaigrée.

Attention! La soie est fragile : commencez par un petit coin peu visible… Mais vous aurez de toute façon du mal à trouver un produit moins agressif que le vinaigre!

Sols

La polyvalence du vinaigre, associée au minimum de risques que fait courir son usage, même intensif, en fait un excellent produit à lessiver les sols tous les jours, sous forme d'eau vinaigrée à 10% maximum. De même, les taches même tenaces ne résistent pas au vinaigre blanc, pur cette fois, associé ou non au bon vieux savon noir. Pas de problème : il est totalement biodégradable. Et comme le vinaigre est aussi le moins cher de tous les produits ménagers, la cause est entendue!

Cela dit, il ne faut pas pour autant plonger dans l'intégrisme et rejeter systématiquement *tous* les produits du commerce, à commencer par l'eau de Javel, qui est tout de même un tout petit peu plus efficace, notamment pour tuer les bactéries et les champignons, dont certaines espèces sont capables de survivre dans des conditions extrêmes, en état de vie ralentie… Un petit lavage de sols trois, quatre ou douze fois par an à l'eau de Javel ne vous tuera pas mais peut vous éviter d'attraper une maladie plus ou moins grave ou une parasitose toujours désagréable !

Taches de boue

N'y touchez surtout pas tout de suite : laissez-les sécher. La boue séchée s'enlève en brossant. Si elle laisse une trace, faites-la disparaître en la lavant à l'eau froide additionnée d'un quart de vinaigre blanc. Si cela ne suffit toujours pas, essayez de frotter avec du vinaigre pur, ou, plus insolite, avec une pomme de terre crue, coupée en deux.

Mais le plus important est de bien laisser sécher avant d'intervenir. La plupart du temps, la tache disparaît rien qu'en brossant : tout dépend de la nature de la terre.

Taches de brûlé sur tissus

Il n'existe pas de remède miracle, car le premier effet d'une brûlure sur un tissu, c'est d'en détruire des fibres : le vinaigre sait faire beaucoup de choses, mais pas le métier à tisser ! Néanmoins, sa capacité à raviver les couleurs peut lui permettre de gommer un léger brunissement dû à un « coup de chaud » plus qu'à une vraie brûlure. Il faut dire aussi que, à part le vinaigre, il n'y a pas grand-chose à faire !

Taches de brûlé
dans un récipient de cuisson

Faites-y bouillir du vinaigre blanc – dilué si vous trouvez l'odeur insupportable. (Mieux vaut se boucher le nez et faire bouillir du vinaigre pur.) Mais attention ! Arrêtez l'ébullition avant que le récipient ne s'assèche. Laissez agir, videz, grattez légèrement avec une spatule de bois ou de plastique… et recommencez si tout n'est pas parti.

Tache de café

Elle disparaît immédiatement quand
on la lave tout aussi immédiatement
– et abondamment – à l'eau froide…
Ce qui n'est pas toujours très facile,
notamment au restaurant.

Une petite tache pas très colorée peut disparaître en la frottant au vinaigre blanc dilué. Une
tache plus tenace sera traitée avec un mélange
de vinaigre blanc et d'alcool, qu'il faut ensuite
bien rincer.

Le résultat n'est vraiment acquis qu'après
séchage complet, des traces pouvant réapparaître.

69

Taches froides

Dans tous les cas, il faut toujours intervenir à froid
sur une tache. Au moins dans un premier temps,
car la chaleur, même en présence de vinaigre, peut
cuire la tache et la fixer au lieu de la faire disparaître. C'est en partie pour cette raison que tous les
lave-linge ont un programme prélavage à froid.

Tache de calcaire

Elle se dissout, de même que les dépôts de calcaire plus importants, dans le vinaigre blanc. Si

cela ne suffit pas, faites chauffer le vinaigre (sauf
sur tissu). Le seul inconvénient c'est l'odeur, qui
n'est vraiment pas des plus agréables!

Tache de chewing-gum

C'est le chewing-gum lui-même qu'il faut enlever en premier, quand il est collé n'importe où.
Appliquez un gros glaçon dessus (et dessous),
ou, si vous ne voulez pas mouiller l'endroit, un
sac plastique enveloppant un ou plusieurs gla-
çons. Le chewing-gum durcit au froid, et s'enlève plus facilement.

Si cela ne suffit pas, ou si ça laisse des traces, vous
en viendrez à bout grâce à l'eau vinaigrée, d'abord
froide, puis, si cela ne suffit toujours pas, aussi
chaude que la solidité du «support» le permet.

Taches de chiures de mouches

Frottez-les avec un tampon imbibé de vinaigre
blanc – ou de Javel si le support... le supporte.
Sur une vitre, comme sur toute surface lisse et
dure, commencez par un petit coup de raclette à
vitrocéramique. À sec : cela suffit parfois, ou cela
rend le résidu très facile à nettoyer au vinaigre.

Tache de cire (et cire à enlever)

Pour cirer ce qui l'était déjà, il faut enlever les résidus de l'ancienne cire, ce qui est techniquement assez facile (mais physiquement plutôt fatigant) en frottant avec un chiffon imprégné de vinaigre blanc pur. Il en va de même pour les taches de cire, éventuellement après avoir enlevé le plus gros en grattant avec une raclette – sur les surfaces les plus dures.

71

Sans tache et sans reproche

Ne cherchez plus la benzine, pourtant fort utilisée naguère comme détachant, dans le commerce. Elle a en effet été retirée de la vente depuis des années, car présumée cancérigène.

Tache sur col de chemise

Frottez à sec avec du savon de Marseille, mouillez, rincez et séchez. Si cela ne suffit pas, frottez avec un chiffon ou une éponge trempée dans de l'eau vinaigrée. Si cela ne suffit toujours pas, essayez avec la même eau vinaigrée enrichie d'une giclée de liquide vaisselle. À froid, dans tous les cas.

Tache de confiture

Grattez-en le plus possible sur une lame de couteau, en partant de l'extérieur vers le centre, et en essayant surtout de ne pas étendre la tache, puis lavez ce qui reste à l'eau (froide) du robinet. Si cela ne suffit pas, ajoutez un peu de vinaigre blanc dans l'eau de lavage, et rincez bien.

72

Tache de crayon-feutre

Tamponnez avec un papier absorbant ou un coton imprégné de vinaigre blanc pur, à renouveler jusqu'à disparition de la tache. L'alcool donne aussi de bons résultats. Le mélange des deux n'est pas plus efficace...

Le «Coton-Tige» (ou d'une autre marque) a une action plus précise, mais il faut en changer souvent et en consommer beaucoup pour enlever une tache en totalité.

Tache sur cuir

Pour les chaussures, pas de miracle : d'abord brossez bien à fond puis passez un peu d'eau avec un chiffon. Si cela ne suffit pas, essayez à l'eau savonneuse. Puis à l'alcool dilué, au vinaigre blanc – dilué lui aussi... Ensuite, dans tous les cas, rincez si nécessaire (avec un minimum d'eau), séchez à fond et cirez : avec du cirage, boîte ou crème peu importe, mais pas avec un lustrant.

La même méthode s'applique aux vêtements, canapés et autres éléments de cuir. Seul problème : on n'a pas forcément sous la main une cire ou un cirage de la même teinte. Au pire, une cire incolore améliorera tout de même l'aspect, même si elle n'a pas de pouvoir couvrant.

Tache sur cuivre

Faute de produit spécifique destiné au cuivre (le bon vieux Miror qui, nous l'avons dit, reste assez irremplaçable il faut bien le reconnaître), vous pouvez combiner les deux méthodes proposées pour l'inox, en mélangeant farine, vinaigre (ou jus de citron) et sel fin jusqu'à obtenir une pâte.

Frottez jusqu'à disparition des taches, rincez et séchez.

Attention ! Tout ce qui touche au cuivre (au sens propre) est, ou devient, très toxique.

Tache d'encre

Tamponnez doucement la tache avec un papier absorbant ou un coton imbibé, au choix, de lait, de vinaigre blanc, d'eau citronnée, d'eau et d'alcool (50/50) ou d'eau oxygénée. Laissez le tampon en place quelques instants et recommencez jusqu'à disparition de la tache.

Saler la solution peut accroître l'effet – ou fixer la tache, attention !

Dans tous les cas, commencez toujours à l'eau froide. Si les taches persistent, recommencez avec la même solution, chaude et plus concentrée.

Protégeons-nous de nos amis

L'eau de Javel est aussi un excellent éliminateur de taches d'encre, mais prenez garde aux couleurs, dessous : son effet, toujours radical, parfois extrémiste, élimine certes les taches mais peut aussi les remplacer par... des trous !

Taches noires sur faïence
ou porcelaine

Contrairement à ce qui est préconisé pour les tissus, les traces noires sur la faïence ou la porcelaine disparaissent en les frottant au vinaigre blanc chaud. Attention ! Le chiffon utilisé doit être renouvelé dès qu'il commence à se noircir, sous peine de créer d'autres taches, ou d'étendre les précédentes !

Tache sur fer à repasser

C'est surtout la semelle qui se tache et s'encrasse. Et cette tache-là, on est sûr qu'elle est bien cuite et bien fixée ! Débranchez, laissez refroidir et frottez avec une lavette imprégnée de vinaigre blanc ou de savon de Marseille (pas les deux !) ou, faute de mieux, de liquide vaisselle. Rincez lavette et semelle... Et essuyez bien avant de remettre le fer en service.

Une semelle très encrassée, notamment par des tissus synthétiques repassés trop chauds et qui ont fondu, se rattrape avec un morceau (bâton – vendu en droguerie) de paraffine solide qu'on fait fondre en passant la semelle dessus, fer branché sur position « laine », le tout sur un chiffon de coton (de préférence jetable mais parfaitement propre). Un ultime rinçage au vinaigre blanc peut faire la différence entre « propre » et « presque propre ».

Taches de fruits

Passez la tache sous le robinet d'eau froide le plus vite possible. Parce que, après, tout se complique ! Il existe toutes sortes de recettes traditionnelles, dont aucune n'est vraiment satisfaisante.

L'eau additionnée d'alcool (50/50) est relativement inoffensive pour les tissus, de même que l'eau citronnée ou le vinaigre blanc, mais les taches de certains fruits rouges comme le cassis (excellent colorant naturel !) ne se laissent pas intimider pour si peu et ne cèdent qu'à l'eau de Javel diluée… qui met les couleurs en péril, quand ce ne sont pas les tissus eux-mêmes. La

pêche, tout aussi redoutable bien qu'apparemment moins colorée, laisse des taches noirâtres particulièrement sournoises.

Sans être vraiment miraculeuse, l'eau savonneuse fait parfois merveille, sans aucun risque, sur les tissus et surfaces synthétiques... *Surtout si l'on conclut l'intervention par un léger rinçage à l'eau vinaigrée.*

Taches d'herbes

Détergents et lessives ne viennent pas toujours et pas facilement à bout de ces taches tenaces. Vous risquez même de les chauffer et de les fixer, après un cycle de lavage qui laisse à la place des taches plus claires ou des traces. Et là, vous avez toutes les (mal) chances de ne plus pouvoir vous en débarrasser. Elles s'éclairciront, mais resteront bien ancrées au cœur des fibres.

La solution, préventive, est assez simple, mais il ne faut pas l'oublier : humectez, ou tamponnez la tache au vinaigre pur. Veillez à ce que le vinaigre mouille bien la partie tachée *en profondeur*. Laissez agir quelques minutes (une petite heure c'est mieux mais on n'a pas toujours le temps) et mettez en machine comme d'habitude.

Petit conseil : inspectez bien les vêtements et autres linges, au retour d'un match, d'un pique-nique ou d'une balade en plein air, au lieu de les jeter tels quels dans le panier à linge sale.

Tache sur inox

L'inox se ternit plus souvent qu'il ne se tache, mais dans les deux cas le traitement est le même : vinaigre blanc ou jus de citron dilué, avec un peu d'huile… de coude, pour frotter.

Si le résultat ne vous satisfait pas, laissez bien sécher puis frottez avec un chiffon imprégné de farine et humecté au vinaigre blanc.

Tache sur marbre

Le marbre est un matériau plutôt résistant aux taches, qui s'entretient et vieillit assez bien, mis à part une tendance à se ternir qui peut être limitée, voire stoppée grâce à un rinçage à l'eau très légèrement oxygénée plutôt qu'à l'eau, même encore plus légèrement vinaigrée. C'est également à l'eau oxygénée qu'on enlèvera les taches, après les avoir grattées avec une lame si nécessaire, et si possible.

Attention! Le vinaigre attaque le marbre, donc oubliez-le – pour une fois.

Tache d'œuf

Dans ce cas, encore plus que dans d'autres, l'eau froide s'impose, après en avoir délicatement enlevé le maximum sur une lame de couteau – de l'extérieur vers l'intérieur, toujours! Ensuite, un bon lavage à l'eau savonneuse en vient normalement à bout.

L'eau additionnée de vinaigre blanc est au moins aussi efficace, et elle offre l'avantage supplémentaire de gommer l'odeur de l'œuf.

Tache de rouge à lèvres

Frottez-les à l'alcool ou à l'eau mêlée de vinaigre blanc (50/50). Rincez bien. Seul inconvénient de ces deux solvants, dans ce contexte bien particulier : leur odeur, pas vraiment romantique!

Le rouge à lèvres disparaît aussi (c'est évident!) avec les produits à démaquiller, mais ils laissent eux-mêmes des traces plus difficiles à enlever sur les tissus que sur la peau.

Pensez alors à la terre de Sommières, produit aussi miraculeux sur le gras que le vinaigre sur le calcaire.

Tache de sel

Vous pouvez faire disparaître les traîtresses traces laissées par le sel antineige généreusement déposé sur les routes en hiver, en les frottant avec un chiffon très propre imprégné d'eau vinaigrée. Le résultat n'est vraiment acquis qu'après séchage complet, des traces atténuées pouvant réapparaître.

Quand on vous dit qu'elles sont traîtresses, ces taches!

Tache de sang

Ici, la rapidité de réaction est vraiment primordiale. Lavez tout de suite à l'eau froide et la tache de sang disparaît.

Si elle laisse une marque dessinant son contour, passez à l'eau salée, à l'eau vinaigrée, voire au vinaigre blanc pur pour les taches les plus tenaces.

L'alcool, l'ammoniaque ou l'eau oxygénée donnent aussi de bons résultats.

Plus insolite : l'eau enrichie d'aspirine effervescente.

Une méthode « naturelle » fait intervenir en toute logique le sérum physiologique (vendu en pharmacie), qui peut dissoudre une tache de sang sur un support très fragile, à condition d'y aller tout doucement, avec patience.

La Voie du sang

Tous les auteurs de romans policiers vous le diront : le sang laisse des taches qui comptent parmi les plus durables. Et ce, depuis des siècles : les traces de sang menaient jadis aux coupables aussi directement et pour beaucoup moins cher que l'ADN aujourd'hui.

Tache de savon

Le savon ne tache pas à proprement parler, mais il laisse des traces et autres dépôts qui ne demandent, eux, qu'à attirer les poussières pour devenir de bonnes vieilles taches, après séchage.

Si vous avez le temps, lavez, frottez, brossez à l'eau claire, tiède ou chaude.

Plus rapide, le vinaigre chaud s'emploie de même, en dégageant une odeur moins agréable que celle de l'eau savonneuse, mais en nettoyant plus vite et plus à fond.

Tache de sueur

Le problème de tache se double ici d'un problème d'odeur, tous deux disparaissant après un bain (parfois long, 12 à 24 heures, soyez patient) dans un mélange d'eau et de vinaigre blanc à parts égales. Il faut savoir que la transpiration peut aussi décolorer un tissu, qu'il faut alors essayer de raviver en le faisant tremper dans une solution d'eau et de vinaigre blanc (50/50). Mais là, le résultat n'est pas garanti.

Attention ! Avant tout traitement, sachez que les taches de sueur disparaissent immédiatement quand on les lave tout de suite à l'eau fraîche. Ce n'est pas toujours évident mais c'est vraiment la meilleure solution, ne serait-ce que pour éviter toute décoloration.

Tache de vinaigrette

Bien évidemment, c'est l'huile et non le vinaigre qui produit le plus gros (et surtout le plus gras) de la tache. Solution immédiate : eau froide et terre de Sommières. Une petite tache peut être effacée à l'acétone ou au dissolvant de vernis à ongles, qu'on a souvent à portée de main… Mais le meilleur produit ultime reste l'eau vinaigrée (vinaigrette sans huile et sans moutarde!), pour enlever les traces laissées par une tache pas tout à fait effacée.

Tache sur tapis ou moquette

Après avoir, si possible, enlevé le plus gros en grattant, lavez et frottez avec un chiffon très propre imbibé de vinaigre blanc dilué de moitié, juste avant de frotter avec un autre chiffon tout aussi propre, pour sécher. Il faut attendre le séchage complet pour apprécier le résultat.

Théière à détartrer

On opère comme pour la cafetière, bien que certains puristes préfèrent un simple rinçage à chaud, soi-disant pour préserver les arômes. Restons raisonnables : il faut tout de même nettoyer une théière de temps à autre…

84

Vases

Ils se nettoient comme les bouteilles mais c'est plus rapide si le vase, « évasé », permet, en plus, de frotter directement les parois au vinaigre blanc avec un tampon abrasif, toujours plus efficace qu'un goupillon.

Vases anciens, prudence !

Les vases anciens opaques ne posent guère de problème, dans la mesure où les taches ne se voient pas à l'intérieur… Mais les vénérables vases de verre, tout comme les verres anciens, n'aiment ni les chocs ni les changements de température. Plus ils sont épais, et lourds, plus ils se révèlent fragiles.

Verres

Les miroirs ainsi que les vitres sont un domaine de prédilection du vinaigre blanc. Recette traditionnelle : pour nettoyer les vitres, il faut diluer moitié vinaigre d'alcool et moitié eau dans un pulvérisateur, bien remuer, vaporiser sur les vitres et essuyer avec du papier journal mis en boule.

Les amateurs de produits « maison » classiques peuvent très facilement en composer un, à peine plus complexe, avec environ 90 % d'eau, 10 % d'alcool et quelques gouttes de l'indispensable vinaigre blanc.

Verres ternis

Remplacer le liquide de rinçage du lave-vaisselle par du vinaigre blanc permet parfois à des verres ternis de retrouver un certain éclat. À la longue, lavage après lavage, cycle après cycle, c'est une méthode de détartrage douce, efficace et non agressive.

En fait, cela fonctionne plutôt bien, mais les verres ternis sont la plupart du temps des verres plus ou moins anciens (voir *Vases*, p. 84). Attention simplement à ne pas laver des vieux verres à plus de 50 °C. Il peut même arriver que

ce soit encore trop chaud pour leurs vieux os.
Comment savoir ? En faisant un essai avec un
verre ébréché. Attention aussi à leur calage dans
la machine : la verrerie ancienne n'aime pas les
chocs non plus.

Vert-de-gris

Une fois n'est pas coutume : rien ne vaut le produit du commerce (Miror) destiné aux cuivres.
(Voir *Cuivre*, p. 32.)

Sinon, vous pouvez essayer de mélanger à
parts égales, vinaigre blanc et ammoniaque pour
en frotter la tache.

Vignettes sur pare-brise

(Voir *Étiquettes*, p. 35.)

Vitres

Chacun a sa recette pour nettoyer les vitres, des
produits du commerce (qui ne sont pas si mal
que cela, surtout dans les gammes professionnel-
les) aux mélanges « maison » dont la composition

varie avec chaque maison, autour d'une valeur sûre : le vinaigre blanc.

Les résultats les plus limpides seront obtenus avec ce même vinaigre blanc, en frottant bien la vitre ou le miroir avec un tampon de papier journal. Si vous utilisez un produit du commerce, finissez avec un tampon de papier journal imprégné d'un peu de vinaigre... et admirez la différence – surtout après séchage, face au soleil !

87

WC

Le vinaigre blanc peut remplacer l'eau de Javel dans vos toilettes. (Voir *Javel*, p. 41.)

PARTIE 3

Le vinaigre, génie personnel

Le vinaigre se révèle tout aussi génial pour les «services à la personne», comme on dit aujourd'hui. Tellement même qu'il est déconseillé d'en user ou d'en abuser sans contrôle...

Passée la prime adolescence, «jouer au docteur» perd en effet beaucoup de son intérêt. Et cela peut très vite devenir dangereux, si on se prend au jeu. Même les produits les plus inoffensifs comme l'eau claire peuvent vous rendre malade si vous en usez ou abusez sans mesure et sans l'avis d'un médecin ou d'un pharmacien...

Cela dit, il n'est quand même pas indispensable d'aller voir un médecin (et d'alourdir d'autant la note de la Sécurité sociale – qui n'en a pas vraiment besoin) avant de tamponner un petit bouton au vinaigre… Mais il sera judicieux d'en parler au docteur, ou au pharmacien, lors d'une visite, si le bouton n'a pas disparu.

Le vinaigre se révèle tout aussi génial de près que de loin, aussi efficace pour le corps que pour la maison… à condition de ne pas «jouer au docteur», comme nous l'avons déjà vu.

L'argument largement brandi du produit «naturel» n'est pas pour autant inoffensif, loin de là, comme le prouvent les milliers de plantes vénéneuses parfois mortelles, qui poussent partout autour de nous… Et pas seulement les champignons – qui ne sont pas vraiment des plantes, d'ailleurs.

Un litre de vinaigre blanc est indispensable à la maison, de préférence à portée de main… Mais pour les usages corporels, les vinaigres «culinaires» (de vin, de cidre, etc.) font aussi bien l'affaire – parfois mieux, surtout le vinaigre de cidre. Le vinaigre blanc a le double avantage de ne pas coûter bien cher et d'être, par définition, moins odorant que les autres, ce qui est parfois appréciable, sur les cheveux par exemple.

Articulations douloureuses

Un linge imbibé de vinaigre peut soulager une
douleur passagère. (Le temps d'obtenir un ren-
dez-vous chez le médecin, si ça dure.)

Bain

Quelques cuillères à soupe, voire un verre ou
deux de vinaigre, dans l'eau du bain apaisent
les petites démangeaisons, resserrent les pores
de la peau et améliorent le tonus général –
toutes choses étroitement liées par
ailleurs.

91

Ce bain, plutôt conseillé le
soir, a aussi un effet apaisant.

Bleu, bosse ou contusion

Appliquez tout de suite une compresse froide
(papier, tissu, éponge, peu importe) bien imbibée de vinaigre et laissez-la pendant quelques
minutes. Le plus longtemps possible avant
qu'elle ne sèche. Cela évite souvent l'enflure et
réduit la douleur d'autant plus vite que vous êtes
intervenu tout de suite. Comme on se blesse le

plus souvent chez soi, cela permet d'intervenir tout de suite, mais cela ne dispense pas d'aller demander conseil au pharmacien ou de prévenir le médecin si c'est plus grave – ce que seul un professionnel de santé pourra vous dire.

Boutons

Tamponnez (ne frictionnez pas!) avec un peu de vinaigre dilué à 50%. Résultats variables et même observation que pour les *Cheveux sans pellicules* (p. 93).

Brûlure

L'eau vinaigrée (à 10% environ), froide ou très froide, apaise la douleur sur une petite brûlure. D'autres produits sont aussi efficaces, sinon plus, notamment les pommades vendues en pharmacie (Biafine, Homéoplasmine, etc.), mais comme on se brûle le plus souvent à la cuisine et que c'est là qu'on range le vinaigre…

Cheveux brillants

Une solution de vinaigre à 10 % fait briller les cheveux. Rincez de nouveau après avoir laissé agir la solution une minute ou deux, si vous ne voulez pas sentir le vinaigre. Cela dit, l'odeur disparaît d'elle-même dans l'heure qui suit.

Cheveux sans embrouille

Une solution similaire sera remarquablement efficace pour démêler les cheveux qui ont tendance à s'embrouiller. Et à un prix imbattable !

Cheveux sans pellicules

Il faut utiliser un petit volume de vinaigre dilué à 50 %, et frictionner énergiquement le cuir chevelu, pour réduire la densité des pellicules – sachant que, dans ce domaine, rien n'est infaillible : les pellicules dénotent souvent un problème plus général. Si «ça ne marche pas», n'insistez pas : consultez.

Cheveux sans poux

Même traitement que pour les pellicules. Si cela ne suffit pas, essayez brièvement (avant un dernier rinçage à l'eau claire) avec un peu de vinaigre pur.

Conserves

Le vinaigre blanc a un goût acide bien sûr parce qu'il est composé quasi exclusivement d'eau et d'acide acétique. Partant, il modifie très peu l'apparence des aliments et ne dénature pas leur goût, même s'il leur donne une pointe de piquant caractéristique ; sa marque, en quelque sorte, qui a la vertu de rehausser le goût de la plupart des aliments au lieu de le modifier, et encore moins de le dénaturer.

C'est donc un conservateur idéal, qui bonifie en plus. Il est célèbre notamment pour ses cornichons… au vinaigre ! (Voir plus loin : *Les Recettes indispensables… les plus faciles*, p. 145.)

Coups de soleil

Attention ! Il ne s'agit ici que des *petits* coups de soleil. Toute brûlure plus sérieuse nécessite un traitement médical en *urgence*.

Pour le coup de soleil classique, dit « de plage », appliquez une compresse d'eau vinaigrée. Sans frictionner, surtout, comme pour les boutons : tamponner n'est pas frotter !

Non seulement les picotements disparaissent, mais de plus cela évite dans bien des cas l'apparition de cloques et la peau qui pèle quelques jours après.

Quand on en a la possibilité, il est conseillé aussi de prendre un bain, le plus vite possible, plutôt frais et légèrement vinaigré (voir *Bain*, p. 91).

Démangeaisons

Dilué à 50 % (moitié-moitié) ou pur, le vinaigre appliqué en tamponnant, sans frotter, soulage instantanément dans bien des cas, surtout si la zone est très localisée. Sinon, consultez (au moins votre pharmacien). La peau est à la fois notre plus grand organe et le plus révélateur de notre état général.

(Voir aussi *Bain*, p. 91.)

Dents blanches

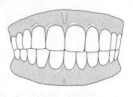

Une à deux fois par mois, un brossage à l'eau vinaigrée (à 10 %) aide l'émail des dents à ne pas jaunir. C'est préférable aux produits abrasifs (qui usent la surface) inclus dans certains dentifrices « dents blanches »… Mais un usage plus fréquent ou une concentration plus élevée de vinaigre risquerait tout de même d'attaquer ce précieux émail.

Digestion

N'allez pas chercher des recettes compliquées de potions miracles : remplacez les crèmes et autres sauces lourdes, de même que le lait et la plupart des produits laitiers (à l'exception du beurre) par quelques bonnes vieilles recettes au vinaigre (voir *Les Recettes indispensables… les plus faciles*, p. 145).

Autre recette infaillible : quelques gouttes de vinaigre (celui que vous préférez) rendent plus digestes – et inodores – les plats et ingrédients notoirement lourds, comme les œufs au plat entre autres, les sardines à l'huile, les viandes rouges, les gibiers ou les poissons frits.

De même, les légumes présumés lourds à digérer (haricots, potées, etc.) gagneront à être cuits dans une eau enrichie d'un filet de vinaigre : cela les rend étonnamment digestes

Produit de substitution : le citron ; mais il a un goût plus marqué, même à très faible concentration.

Contre-indication : les aigreurs ou brûlures d'estomac.

97

Eau désaltérante

Ajoutez quelques gouttes de vinaigre dans un verre d'eau pour rendre son contenu plus désaltérant. (La sensation de soif disparaît plus vite.) Cela contribue également à aseptiser l'eau. Moins que la Javel mais c'est toujours ça de gagné – et c'est meilleur au goût !

Pas si fous, ces Romains !

Les légionnaires romains de l'Antiquité étanchaient leur soif grâce à une eau légèrement vinaigrée. Celle-là même que l'on redécouvre aujourd'hui. Plus ça change...

Écorchures, petites plaies

Passez sous l'eau froide le temps d'arrêter le saignement, puis tamponnez d'eau et de vinaigre (50/50) pendant quelques instants. (Ne laissez pas le tampon en place.) Comme tout produit nettoyant, le vinaigre a des propriétés désinfectantes et, de plus, c'est un assez bon cicatrisant – ce qui n'est vraiment pas le cas de tous les autres produits nettoyants ou décapants.

Gorge à vif

Le mal de gorge passager peut être soulagé par des gargarismes à l'eau vinaigrée, de préférence tiède.

Insectes

(Voir *Piqûres*, p. 103.)

Intoxication alimentaire

(Voir *Digestion*, p. 96.)

Un verre d'eau vinaigrée et une diète (en buvant de l'eau) peuvent aider, mais si cela se prolonge, il faut aller demander l'avis du pharmacien, voire du docteur.

Mal au cœur, mal de mer

Sans garantie de réussite, une compresse fraîche ou tiède, humidifiée avec un bon vinaigre, de cidre ou de vin, peut faire disparaître les nausées. C'est étonnant, mais ça marche – assez souvent.

Mal de tête

Le vinaigre peut vous aider à soulager un mal de tête occasionnel, en appliquant un linge imbibé de vinaigre sur l'endroit douloureux et en le laissant en place aussi longtemps que possible, quitte à l'imbiber de nouveau quand il sèche.

Vous pouvez aussi appliquer la même méthode que pour le nez bouché : une cuillère à café de vinaigre à faire rouler sous la langue avant d'avaler ; c'est brutal mais ça peut soulager. (Voir *Nez bouché*, p. 101.)

Muscle douloureux

Prenez un bon bain chaud, ou une douche presque brûlante si c'est après un effort. Et si c'est une douleur « inexpliquée », massez ou appliquez des compresses de vinaigre – de cidre ou de vin : la qualité du vinaigre est plus importante que son origine ; même le vinaigre blanc fait du bien.

Si ça se prolonge, rincez bien et passez par la case « Docteur ».

Mycoses

Une application d'eau vinaigrée détruit assez souvent ces champignons microscopiques qui résistent (souvent aussi) à beaucoup de traitements classiques. Un demi-verre d'eau vinaigrée (au vinaigre de cidre ou de vin) à boire le matin peut vous aider « de l'intérieur », si votre estomac supporte cette acidité matinale.

Changez de chaussures, de chaussettes, collants, etc., et faites-les tremper dans l'eau vinaigrée avant de les passer au lave-linge – s'ils le supportent, eux aussi ; sinon remplacez votre linge de corps par du pur coton qui supporte d'être lavé en machine au moins à 60 °C, le

temps de vous débarrasser de cette champignon-
nière indésirable.

(D'accord : esthétiquement, c'est pas fameux,
mais les plaques rouges qui grattent ne sont pas
très sexy non plus !)

Nez bouché

Laissez rouler une cuillère à café de bon vinaigre
naturel (de vin ou de cidre) pendant quelques
secondes sous la langue avant de l'avaler. La sensation est un peu « raide » sur le coup, avec une
grosse bouffée de chaleur, mais l'effet est souvent
salutaire ou spectaculaire. Demandez quand
même à votre pharmacien ou à votre médecin s'il
n'y voit pas de contre-indication particulière.

Odeurs

(Voir chapitre *Vinaigre blanc*.)

Peau

Des applications prolongées de linges humectés
au vinaigre peuvent soulager les petits bobos,

les démangeaisons et même réduire, parfois, les taches de vieillesse... Le vinaigre généralement préconisé est le vinaigre de cidre, mais un bon vinaigre de vin possède sensiblement les mêmes vertus.

Pieds gonflés ou douloureux

Après une longue marche, par exemple, ou un essai trop prolongé de chaussures neuves, un bain de pieds à l'eau vinaigrée soulage et soigne : chaude pour colmater les dégâts des chaussures neuves ; ou froide, après une longue marche.

Coup de chaud, coup de froid

Les venins de tous les animaux marins, à commencer par les poissons venimeux, des rascasses aux raies, en passant par les vives ou les poissons-pierres, sont détruits par la chaleur, mais n'allez pas vous brûler pour autant si vous avez marché sur une vive – même si, de l'avis général, cela provoque une douleur « intolérable ». Autre « détail » bon à savoir : le venin des poissons morts, et même celui des poissons congelés reste actif.

Piqûres

Tamponnez localement les piqûres d'insectes avec du vinaigre pur ou dilué de moitié. Plus vous intervenez tôt plus c'est efficace, mais cela fait encore de l'effet au bout de quelques heures.

Il en va de même avec les piqûres de méduses, d'anémones, de poissons venimeux… les morsures d'araignées, etc. Le vinaigre apaise… Le temps fait le reste. Il n'est pas ridicule d'aller au bord de la mer avec un petit flacon de vinaigre dans le sac de plage, à côté du tube de produit solaire…

Cela dit, les animaux les plus dangereux, et de loin, sont les guêpes, les abeilles et surtout les frelons. Une attaque individuelle peut déclencher une allergie, mais une attaque collective est tout aussi dangereuse, en raison de la quantité de venin injectée. Le vinaigre peut soulager et décongestionner localement, le temps de trouver un médecin.

Pots de fleurs

(Voir *Pots de fleurs et jardinières tachés*, p. 60.)

Poux

La lutte contre les poux ne se limite pas à la tête : il faut aussi traiter la literie et les vêtements.

(Voir *Poux*, p. 61.)

Régime

104

Un demi-verre d'eau vinaigrée avant chaque repas peut agir comme coupe-faim. Certains en font même la base de régimes amaigrissants. Pourquoi pas ? Mais la vraie réponse à la prise de poids (et, *a fortiori*, à l'obésité) est aussi simple à énoncer que difficile à mettre en œuvre : mangez de tout, mais un peu moins. Réduisez peu à peu les portions… et méfiez-vous des régimes. Certes, il existe d'excellents nutritionnistes, très sérieux… mais il y a aussi pas mal d'escrocs, qui annoncent des résultats spectaculaires. Aux yeux de certains spécialistes, les « régimes minceur » seraient même la première cause d'obésité dans les pays occidentaux – sans parler des risques de déséquilibre, parfois très graves, provoqués par certaines substances « amaigrissantes » ou prétendues telles.

Il y a de plus en plus de régimes… et il y a de plus en plus de gros : cherchez l'erreur !…

Le régime «Un peu moins de tout» vaut infiniment mieux que «Pas de ça, ni de ça, ni de ça non plus...». C'est bon pour le physique, avec des effets quelquefois spectaculaires, même s'ils sont parfois lents à venir, et c'est tout aussi bon pour le moral!

Le vinaigre, à faibles doses (mais régulières) peut vous aider, mais il ne fera rien à votre place! Enfin, il est toujours préférable de l'intégrer aux menus que de l'avaler comme une potion, avant ou entre les repas.

105

Rondeurs

La fortune alphabétique fait bien les choses en nous permettant d'ajouter un petit mot juste après les régimes pour dire, notamment aux plus jeunes, que quelques kilos ou quelques rondeurs qui vous permettent de vous sentir bien dans votre peau valent infiniment mieux et sont beaucoup plus attrayants que la maigreur étique des portemanteaux qui posent pour les photos de mode. «On sort avec les maigres, on rentre avec les grosses», a dit un humoriste, oublié mais largement recopié depuis, du début du XXe siècle.

Santé

Le vinaigre est, entre autres… antiseptique, apéritif, assainissant, conservateur naturel, désinfectant, digestif, fortifiant, stimulant, soulage également les problèmes digestifs, améliore le goût des aliments, soigne la peau…

Comme on peut le voir au fil de ces rubriques, le vinaigre, à petites doses, peut aider à soulager nombre de petites misères quotidiennes… Faut-il pour autant en ingurgiter des verres, ou même des cuillères chaque jour? La plupart du temps, l'usage du vinaigre en cuisine suffit, sous forme de filet de vinaigre à ajouter, de préparation au vinaigre, voire tout simplement de vinaigrette… Avec une bonne huile première pression à froid et un bon vinaigre, la vinaigrette aide à digérer en même temps qu'elle sublime les goûts et qu'elle apporte des substances fort utiles comme les fameux «Oméga»… mais pas seulement.

Notre cuisine est le fruit de plusieurs milliers d'années d'expérience… ce qui lui donne un équilibre extraordinaire qui vaut bien des ordonnances – surtout rédigées par des amateurs.

Voyage

En pays chaud, si vous craignez d'attraper la « turista » (diarrhée qui assoit net le touriste innocent au début de son séjour), vous aurez de grandes chances d'y échapper en délayant une cuillère à café de vinaigre (de préférence de cidre ou à défaut, de vin) dans un verre d'eau, avant de manger. Si vous buvez l'eau du robinet (et que c'est autorisé : faut pas exagérer non plus !), ajoutez-y quelques gouttes de vinaigre par litre. Cela ne suffira pas à lui donner un « goût de vinaigre », mais cela tuera la plupart des germes.

Le Voyage à

PARTIE 4

Tous les vinaigres

Tous les vinaigres sont issus de l'acidification («acétification») du vin, du cidre ou de tout autre liquide fermenté dont l'alcool (éthylique) se transforme en acide (acétique) sous l'influence d'un organisme unicellulaire qu'on a d'abord pris pour un champignon (d'où son nom latin : *Mycoderma aceti*) avant que Pasteur ne revoie sa copie, identifie la bactérie et vienne mettre un peu d'ordre dans les connaissances, tout en proposant quelques améliorations aux vinaigriers…

Aujourd'hui, l'appellation «vinaigre» est soumise à une norme européenne qui fixe sa teneur minimale d'acide acétique, autour de 5 à 6° – 5 à 6% –, et sa teneur maximale en alcool éthylique : la réaction n'étant quasiment jamais complète, la proportion d'alcool ne doit pas dépasser 0,5 % pour l'ensemble des vinaigres. Avec deux exceptions : les vinaigres de vin, qui peuvent contenir jusqu'à 1,5 % d'alcool, et les vinaigres de spécialités qui ont le droit de grimper jusqu'à 3 %.

Outre le vinaigre d'alcool, deux vinaigres, de vin et de cidre, méritent une place à part, ne serait-ce que par l'importance de leur production. Nous verrons tous les autres à la suite, par ordre alphabétique.

Le vinaigre blanc

Vinaigre d'alcool, vinaigre blanc, vinaigre cristal, etc.

Ces dénominations recouvrent exactement la même chose : si tous ces vinaigres sont vendus au même prix, de l'ordre du demi-euro le litre, pas de problème… Mais si un petit malin du marketing en profite pour vendre le «cristal» plus cher que le «blanc» par exemple, pas de doute : c'est un escroc. Le fait de l'appeler «cristal» ou tout autre nom prestigieux ou clinquant qui germe dans l'esprit torturé d'un publicitaire, ne lui donne aucun atout supplémentaire. Son vinaigre «cristal» ne vaut ni plus ni moins que son homologue blanc ou d'alcool. Au rayon «vinaigre blanc», «cristal» ou «d'alcool», n'hésitez pas : prenez le moins cher!

Ce vinaigre, dont nous venons de voir les qualités aussi étonnantes que variées, est une véritable mine de bienfaits dans la maison, mais il possède encore d'autres atouts. Nous allons le retrouver, ce vinaigre blanc, avec les vinaigres aromatisés : encore une de ses innombrables potentialités!

Le vinaigre coloré

C'est le premier produit et le plus facile à obtenir à partir du vinaigre blanc. Avec un peu de caramel (colorant naturel bien connu, qui n'est autre que du sucre cuit), le vinaigre blanc devient joliment ambré, ce qui présente un intérêt pour mettre «en scène» (plutôt qu'en valeur) tel ou tel arôme. Il s'agit en effet d'un intérêt purement visuel : le vinaigre «blanc coloré» reste un vinaigre blanc – et perd beaucoup de son intérêt pour les tâches ménagères (voir *Le Vinaigre blanc, génie du foyer*, p. 15). Il devient en effet tachant et non plus détachant!

Le vinaigre de vin

Il reste, et de très loin, le plus connu, le plus répandu et le plus utilisé des vinaigres. Tout particulièrement en France.

La caractéristique du vinaigre étant d'apparaître naturellement à partir du vin ouvert (non bouché), il a longtemps été élaboré patiemment, en laissant s'aigrir certains vins (que l'on peut supposer sans malice choisis parmi les moins bons) au frais et dans la pénombre.

La méthode orléanaise

La profession de vinaigrier, comme beaucoup d'autres, apparaît officiellement en France au XIVe siècle – ce qui ne signifie pas, loin de là, qu'elle n'existait pas auparavant !

Cette profession s'était installée et prospérait alors à Orléans, peut-être parce que c'était l'ultime étape du voyage pour beaucoup de vins qui gagnaient alors la Capitale, et l'occasion de faire un tri entre les vins qui avaient bien supporté le voyage et ceux qui avaient « tourné ».

Toujours est-il que cela a donné la plus connue des techniques traditionnelles d'élaboration du vinaigre, qui a tout naturellement pris le nom de méthode orléanaise. Selon cette méthode, la fermentation se fait naturellement, à partir de très bons vins en fûts de chêne, sans brasser le vin ni rien ajouter…

Vinaigres de vin à l'ancienne

L'essentiel de la fermentation s'effectue ainsi en un mois environ, mais les meilleurs de ces « vinaigres de vin à l'ancienne » vieillissent ensuite pendant un an dans des fûts beaucoup plus grands, à température constante. Ce *nec plus ultra* du vinaigre, le « vinaigre de vin à l'ancienne », est aujourd'hui un produit de luxe, qui se fait rare mais qui existe toujours.

Certains sont issus de vins bénéficiant d'une appellation d'origine contrôlée, comme les vinaigres de champagne, de bordeaux… Ce sont également des produits d'exception, bien que tous ces vinaigres ne soient pas élaborés par la méthode orléanaise…

La méthode allemande

Plus récente, la méthode dite allemande ajoute des copeaux de hêtre, bois poreux dans lequel s'infiltrent davantage de bactéries, dont l'action elle-même est accélérée par la circulation du moût et son oxygénation (aération). Ce procédé, lui aussi naturel, réduit le temps nécessaire à l'élaboration du vinaigre (toujours parfaitement naturel par ailleurs : le hêtre et l'air ne sont pas des produits de synthèse) des deux tiers.

La méthode la plus moderne

Elle prend moins de deux jours, grâce à l'injection en nombre de microbulles d'air dans de très grandes cuves, à une température de l'ordre de 30 °C. Ce procédé est néanmoins lui aussi naturel dans la mesure où il ne fait intervenir aucun autre produit que le vin (ou l'alcool seul) et l'eau.

Le vinaigre de cidre

Il est réputé supérieur au vinaigre de vin pour ses qualités « médicales », qui sont indéniables, de même que le sont aussi celles des meilleurs vinaigres de vin ou d'autres origines naturelles.

Sans vouloir ouvrir une polémique, il est tout aussi indéniable que les qualités propres de chaque vinaigre naturel sont plus importantes que les qualités générales de chaque type de vinaigre : de vin, de cidre, de miel, de bière, de riz ou autre.

Quoi qu'il en soit, le vinaigre de cidre est actuellement porté par un fort courant de mode – peut-être aussi parce qu'il est très apprécié au États-Unis, d'où viennent encore énormément de courants et de modes. Il est d'ailleurs produit en masse aux USA, où, pour l'anecdote, 10 % de sa production servent à élaborer... le Ketchup !

Le vinaigre de cidre est un vinaigre doux, léger, qui titre environ 5° (5 % d'acide acétique) et se caractérise par sa richesse en minéraux, reflétant bien en cela la générosité de sa maman la pomme.

Un autre avantage du vinaigre de cidre sur son homologue de vin, c'est sa production moins intensive qui en fait (parfois, pas toujours) un produit plus élitiste.

Sinon, outre le fait qu'il est amusant de retrouver encore une fois opposés les tenants de la pomme et ceux du raisin, comme aux temps chauds de l'Antiquité (Païens contre Chrétiens, Vikings et autres «Barbares» contre Romains, etc.), il faut savoir qu'il n'existe aucune étude médicale rigoureuse sur les effets comparés des différents vinaigres.

Seule certitude : ils possèdent tous de nombreuses vertus, que l'on n'en finit pas de découvrir – ou de redécouvrir, parce qu'ils ne datent pas d'hier!...

116

Pour fixer les idées

«Toutes catégories confondues» si l'on peut dire, l'Europe produit et commercialise environ six millions d'hectolitres de vinaigres (d'alcool, de vin, de cidre, etc.) par an.

La France produit à elle seule largement plus d'un million d'hectolitres de vinaigres, dont presque 800 000 hectolitres de vinaigre blanc; 300 000 hectolitres de vinaigre de vin et autour de 50 000 hectolitres d'autres vinaigres, majoritairement de cidre – chaque année toujours.

Les vinaigres à...

Ce sont des vinaigres aromatisés...

À partir du vinaigre d'alcool, parfaitement neutre et incolore, rien de plus facile que de faire un vinaigre «de table», parfumé, coloré, aromatisé... Mais le produit de base reste le vinaigre blanc, qui joue exactement le même rôle que l'alcool «chimique» dans certaines liqueurs, notamment «aux herbes».

Tous les vinaigres aromatisés (basilic, châtaigne, citron, estragon, etc.) sont donc à base de vinaigre blanc, qui a une grande capacité à extraire et sublimer les parfums et arômes naturels.

On obtient ces vinaigres en laissant macérer (baigner sans chauffer pendant des jours, des mois, voire des années) soit directement des plantes ou fruits, qui jouent alors en plus un rôle décoratif, soit des extraits aromatiques déjà préparés, qui seront alors immédiatement efficaces, sans macération.

Si vous les préparez vous-même, n'oubliez pas de baigner totalement les divers ingrédients pendant la macération. S'ils affleurent ou, pire, s'ils dépassent à la surface du vinaigre, des champignons (moisissures) peuvent apparaître (ce qui n'est pas bien grave) et dénaturer le goût de votre préparation (ce qui est plus regrettable).

On connaît ainsi les...

Vinaigre aux agrumes

Il existe de multiples variantes, de la spécialité corse aux clémentines, oranges et citrons, au vinaigre au citron à l'orange et à la citronnelle, en passant par ceux qui ajoutent le pamplemousse… Ces vinaigres rappellent tous, plus ou moins, le vinaigre au citron (le plus goûteux de tous), en plus doux.

Vinaigre à l'ail

En associant deux des condiments les plus réputés pour leurs bienfaits depuis la nuit des temps, on ne saurait obtenir un produit qui laisse indifférent ! On obtient aussi et surtout un vinaigre très aromatique, capable de réveiller les salades les plus ternes, comme de sublimer les mets les plus goûteux, avec une préférence pour le cru. Selon les goûts, on peut le parfumer au romarin ou à toute autre « herbe de Provence ».

Vinaigre au basilic

Il est parfois associé à la sauge, ce qui n'est pas fait pour affaiblir sa saveur puissante! Obtenu par une macération d'au moins un mois au frais, suivie d'une filtration avant sa mise en bouteille, c'est un vinaigre parfait pour parfumer les salades un peu ternes de l'hiver. Si vous le faites vous-même, vous pouvez ajouter une branche de basilic au moment de la mise en bouteille, pour décorer et enrichir le goût d'une nuance subtile.

119

Vinaigre à la ciboulette (aux fines herbes)

Le vinaigre se caractérise par un goût acidulé. La ciboulette aussi... mais ce n'est pas le même, d'où l'intérêt de ce vinaigre mis à macérer pendant un mois avec des grains de poivre et de moutarde (de l'ail aussi, parfois), avant d'être filtré et mis en bouteille. Tous ces ingrédients lui donnent une belle vigueur capable de rehausser tout ce qui est un peu plat en cuisine.

Vinaigre au citron (ou jus de citron)

Ce vinaigre de grande tradition mêle deux éléments naturels possédant un goût puissant et des propriétés voisines. L'acide citrique se combine avec l'acide acétique pour associer un fort parfum à un goût plutôt doux. Il s'utilise essentiellement en cuisine, exactement comme le citron, mais il possède également des propriétés désodorisantes, dépuratives, etc., accentuées par le mélange des deux.

Son goût, très particulier, fait qu'on l'adore… ou non.

Vinaigre à l'échalote

Le vinaigre de vin rouge est le meilleur pour cet usage, dans lequel on aura laissé macérer des échalotes finement découpées (on dit « ciselées »). Étant donné la simplicité de la préparation (il suffit de laisser macérer quelques heures) il est aussi simple – et beaucoup moins cher – de le préparer soi-même que de l'acheter tout prêt. C'est traditionnellement le vinaigre dédié aux huîtres (voir *Les recettes indispensables… les plus faciles*, p. 145).

Vinaigre aux épices

Il en existe autant que d'épices, tous parfaitement capables de relever un mets un peu plus fade – même s'il ne faut surtout pas assimiler «épice» à «piquant» (la coriandre est une épice).

Vinaigre à l'estragon

L'estragon y est rarement seul, mais il a souvent macéré (pendant au moins un mois) en compagnie d'autres «herbes de Provence» et de grains de poivre entiers, mais c'est l'estragon, qu'on y a laissé entier, qui le marque de sa riche personnalité, forte et subtile à la fois. Il gagne à être préparé à partir de vinaigre de vin blanc.

Vinaigre au fenouil

Parfois associé au thym c'est le vinaigre du poisson, notamment grillé, pour qui n'est pas rétif aux goûts anisés. Ce qui ne l'empêche pas de parfumer tout aussi agréablement la plupart des salades.

Vinaigre à la framboise

Qualité rare, il est aussi convaincant sur les fruits de mer que dans les sauces pour les viandes rouges ou sur les gibiers.

Un autre talent de société de tous les vinaigres est particulièrement développé chez lui : c'est un déglaçant idéal.

Vinaigre au gingembre

Ce vinaigre original, « fort en gueule », fait mieux qu'accompagner les salades de poisson (cuit et) froid ; il les sublime, qu'il ait été préparé avec ou sans les grains de poivre qu'on lui adjoint assez souvent. (Il aime bien le canard aussi, de même que les viandes blanches.) Quant aux propriétés aphrodisiaques, il n'en détient ni plus ni moins que le gingembre lui-même : si on y croit…

Vinaigre à la lavande

L'idée paraît étrange, d'associer l'un des végétaux aux fragrances les plus douces à l'acidité piquante du vinaigre. Et, à vrai dire, cela donne un produit aussi utile pour la toilette qu'en cuisine, étant donné les propriétés de la lavande et son parfum si puissant qu'il peut parfois en masquer le goût – ce qui est dommage. Le vinaigre à la lavande, exposé à l'air d'une pièce fermée, est réputé calmer les nerfs et soulager les migraines...

Vinaigre à la menthe

Le vrai vinaigre à la menthe a été préparé en deux temps... D'abord à partir de menthe accompagnée de ciboulette (ou échalote), laurier-sauce, clou de girofle, etc. Ensuite, après avoir macéré pendant au moins un mois, il a été filtré et mis en bouteille avec une branche de menthe fraîche, seule cette fois. C'est (entre autres) le vinaigre d'élection du taboulé. Ce vinaigre assez spécial n'est pas donné, mais il apporte une touche unique à la cuisine crue ou cuite, avec un léger piquant qui n'est qu'à lui. Il est réputé calmer les indigestions, diarrhées, flatulences... de même que les aigreurs d'estomac.

Vinaigre au miel

Champion de l'aigre-doux, ce vinaigre fait merveille dans les sauces ou directement sur les plats, notamment cuits. On le prépare assez souvent au romarin, à la sauge ou au thym.

Vinaigre aux noix

Ce vinaigre développe une grande finesse qui met délicatement en valeur aussi bien les viandes blanches que les salades vertes. Ce vinaigre, aussi délicieux que méconnu, compte également parmi les meilleurs « déglaçants ».

Vinaigre au piment

124

Piment d'Espelette ou autre, cela donne un vinaigre qui décoiffe ; autrement dit qui peut animer quasiment toutes les cuisines, avec une préférence pour les salades, de pâtes ou de viandes. Attention tout de même à ne pas avoir la main trop lourde sur les piments : tout le monde ne les apprécie pas forcément.

Vinaigre au pissenlit

Comme son nom l'indique, le pissenlit est un diurétique naturel, en même temps qu'un ami du foie… Toutes propriétés qui s'ajoutent ou se combinent à celles du vinaigre. On peut le faire soi-même, au pissenlit ou aux boutons de pissenlit qu'on prépare alors un peu comme des petits cornichons (voir la recette facile, p. 147). Même les racines ont des propriétés intéressantes! Le pissenlit s'exprime très bien dans du vinaigre de vin – aussi naturel que possible bien entendu.

Vinaigre au romarin

Même si vous le préparez en laissant macérer une branche de romarin (avec, si possible, une grosse poignée de fleurs du même romarin), vous ne les verrez pas, dans la mesure où, après avoir macéré deux ou trois semaines, il est filtré avant d'être mis en bouteille. Certains l'agrémentent de grains de poivre, d'anis, de clous de girofle, etc., mais le romarin seul lui donne une saveur plus originale. C'est un excellent vinaigre pour toutes les crudités. C'est aussi un vinaigre réputé contre les migraines ou pour aider la mémoire…

Vinaigre à la sarriette (ou marjolaine)

La sarriette apporte une note de fraîcheur qui adoucit (et rend plus digestes) les aliments réputés lourds tels que les féculents ou les œufs, par exemple. Certes, c'est la qualité de tous les vinaigres, mais elle s'exprime ici avec une rare élégance.

Vinaigre à la sauge

La sauge se fait plus douce au vinaigre qu'en infusion (c'est un excellent dépuratif, souvent consommé en tisanes), mais elle y développe peut-être plus encore son inimitable parfum d'îles grecques… Un vinaigre idéal pour réveiller une cuisine un peu plate. Il posséderait aussi des vertus lénifiantes (tranquillisantes) qu'il ne coûte pas bien cher d'essayer, d'autant plus que, contrairement à toute la famille des produits pharmaceutiques équivalents, le vinaigre à la sauge ne peut pas faire grand mal.

Vinaigre au serpolet, vinaigre au thym

Le thym et le serpolet (plus petit) sont parfois laissés à macérer avec une branche de romarin. Mais dans tous les cas, ces plantes, qui comptent parmi les plus aromatiques, sont parfaites pour rehausser et enrichir le goût – aussi bien du cru des salades que des viandes blanches cuites, entre autres.

Vinaigres... au vinaigre ?

Comme nous venons de le voir, beaucoup de vinaigres aromatisés peuvent être obtenus aussi à partir de vinaigres de vin, de cidre ou de tout autre fruit, légume ou végétal vert, dont l'arôme caractéristique se mêle ou se combine avec celui du vinaigre et avec celui de la substance ajoutée. Ce sont souvent les meilleurs mais, le vinaigre étant à la mode et suscitant toute sorte d'expériences, certaines (heureusement assez rares) ne sont pas des réussites.

Les vinaigres de...

Il s'agit ici de vinaigres directement élaborés avec d'autres fruits, légumes, céréales, etc., que les plus courants – raisin, pomme... Le vinaigre est si bon et l'imagination des hommes si fertile !

(Ne vous étonnez pas de retrouver ici certains fruits déjà traités ci-dessus : le vinaigre *à la* framboise n'a ni le même goût ni les mêmes propriétés que le vinaigre *de* framboise – par exemple.)

Verjus

Avant d'aborder la (longue) liste de tous les vinaigres, un mot sur le verjus, qui n'est pas un vinaigre mais le jus acide d'un raisin blanc pas encore mûr. D'où son nom : *vert jus*. Il est nettement en perte de vitesse, notamment à cause de l'expansion des vinaigres, mais on l'emploie encore pour le déglaçage, donc pour élaborer des fonds de sauce. Il est possible d'en faire une vinaigrette dans laquelle il prend la place du jus de citron ou du vinaigre. Les remplace-t-il ? Pas sûr… Mais c'est un condiment à essayer au moins une fois dans sa vie.

Vinaigre de Banyuls

Ce vinaigre corsé est très aromatisé, notamment parce qu'il provient du vin doux naturel de Banyuls qui a déjà suivi un long processus d'élevage (quatre ans !) en fûts de chêne exposés au soleil. Ce vin est ensuite transformé en vinaigre selon une méthode traditionnelle, avant d'aller s'affiner en barrique. C'est le vinaigre parfait des salades originales, du poisson (tiède ou froid), des marinades et des meilleurs fonds de sauce.

Ce vinaigre pousse l'originalité jusqu'à accompagner les desserts au chocolat, pour qui n'a pas peur de découvrir des saveurs nouvelles et insolites.

Vinaigre de bière

Ne vous fiez pas au fait qu'il est surtout apprécié par nos amis anglais. Le vinaigre de bière compte certainement parmi les plus anciens… On le fabrique soit à partir de la bière (plutôt blonde), soit directement à partir du moût de malt des céréales qui servent à élaborer la bière. Bien qu'il compte parmi les moins forts, puisque la bière n'est pas très alcoolisée, surtout la blonde, il peut tenir tous les rôles d'un honnête vinaigre : déglaçage, vinaigrette, conserves… Avec une douceur qui n'est qu'à lui.

129

Il possède aussi, très vraisemblablement, des propriétés thérapeutiques aussi intéressantes que ses homologues de vin et de cidre. On découvre en effet actuellement les propriétés de la bière, notamment des bières artisanales (mais pas seulement), qui ont été assez peu explorées jusqu'à présent et souffrent d'une mauvaise image liée à l'alcoolisme de masse (bien réel, hélas!) qui occulte des vertus tout aussi réelles et patentes.

Il existe toute une gamme de vinaigres de bière, des semi-industriels aux plus recherchés comme (entre autres) le Vinaigre de bière grand arôme ou les produits de la Brasserie des Champs, en Bourgogne, pour ne citer qu'eux.

Vinaigre des bleuets ou vinaigre des myrtilles

Ce vinaigre canadien (*Blueberry Vinegar*) est un vinaigre de cidre dans lequel on a fait macérer des myrtilles qui lui donnent à la fois une couleur violette soutenue et une saveur salée sucrée bien particulière.

Vinaigre de céréales

Il s'obtient à partir de l'amidon de céréales (autres que l'orge) transformé en sucre avant le cycle classique de l'alcool qui donne de l'acide acétique. (Voir aussi *Vinaigre de riz*, p. 136.) Il est très utilisé comme conservateur naturel.

Vinaigre de datte

Avec leur taux de sucre exceptionnel, les dattes se prêtent fort bien à la fermentation, puis à l'acidification qui donne le vinaigre. C'est pourtant encore un vinaigre confidentiel, peut-être à cause des verrous à la production d'alcool (indispensable pour obtenir du vinaigre) dans les pays producteurs. Quoi qu'il en soit, c'est un vinaigre à découvrir, notamment en vinaigrette pour lui ajouter une touche d'originalité.

Il existe aussi un vinaigre de sève de palmier dattier, encore plus difficile à trouver : pour gourmets curieux.

Vinaigre de figue

Connu depuis la plus haute Antiquité, le vinaigre de figues est aujourd'hui à redécouvrir, presque à réinventer, aussi bien pour déglacer les sauces goûteuses que pour accompagner les plats riches comme le foie gras, les viandes rouges... que pour relever une salade de fruits.

Vinaigre de figue de barbarie

Lui aussi doit remonter à une époque lointaine, peut-être même antérieure à la conquête de l'Amérique centrale, depuis qu'un conquistador, ou plus probablement un autochtone, a eu l'idée et le courage de dépiauter le délicieux fruit charnu de cet énorme cactus aux épines acérées. Ce vinaigre rare a une réputation de produit minceur. En tout cas il accompagne à merveille les préparations les plus grasses.

Vinaigre de framboise

L'acidité de ce vinaigre ne parvient pas à masquer le parfum de la framboise, qu'elle met au contraire en valeur, surtout sur le sucré. Ce qui ne l'empêche pas de déglacer à merveille les fonds de foies cuits ou de relever les viandes blanches tout comme les salades de crudités les plus classiques, en vinaigrette.

Vinaigre de gingembre

Pilier de la cuisine asiatique, le gingembre y est bien entendu omniprésent aussi sous forme de vinaigre, qui convient parfaitement à de nombreuses cuisines asiatiques, mais qui peut aussi relever ou renouveler de nombreux plats occidentaux, notamment les légumes cuits, quand on les trouve un peu ternes, ou, préparation plus audacieuse, les desserts au chocolat qu'il sublime.

Vinaigre de groseille

Cette spécialité anglaise se révèle parfaite pour cuisiner et déglacer les plats de viandes rouges aussi bien que de poissons ou de fruits de mer cuits. Il donne des résultats originaux et subtils avec les desserts glacés, et rend, entre autres, les fritures plus digestes.

Vinaigre de malt, vinaigre de malt distillé

Il s'apparente au précédent, mais il est fait à partir d'orge. Ce délicieux vinaigre doux est souvent méconnu et injustement sous-employé. Sa jolie couleur ambrée ne doit rien à un quelconque vieillissement, mais plus simplement à une coloration au caramel.

Il y a une grosse différence de goût entre le vinaigre de malt industriel et son homologue artisanal. Le premier n'est pas mauvais bien sûr, qui est un très bon vinaigre de marinade et de conserve, mais le second, plus rare et plus cher (y a pas de secret!) est un vinaigre qui accompagne aussi à merveille les plats cuisinés et les poissons, frits ou au court-bouillon... sans oublier les salades.

Vinaigre de mangue

À partir d'un fruit à forte personnalité, cet étonnant vinaigre est aussi l'un des plus polyvalents, qui est aussi à l'aise avec la pâtisserie, les viandes blanches ou les filets de canard que lorsqu'il entre dans la composition des sauces – de déglaçage ou autres... et des vinaigrettes d'accompagnement des crudités.

Vinaigre de miel

Il est fabriqué à partir de l'hydromel, qui est le produit de la fermentation alcoolique du miel dans de l'eau. Allez savoir!… l'hydromel est peut-être la toute première boisson alcoolisée, puisqu'elle se produit toute seule, le plus naturellement du monde quand du miel mouillé reste exposé à l'air ambiant (un orage qui jette une ruche dans une flaque). Son sucre se transforme en alcool, puis en acide acétique si l'exposition à l'air se prolonge. Donc, le vinaigre de miel est peut-être bien le plus ancien de tous, même si c'est plutôt un produit que l'on redécouvre aujourd'hui. Il se caractérise souvent par un «degré» élevé (7 à 9°), la forte proportion de sucre dans le miel se répercutant dans la proportion d'alcool, puis d'acide acétique. On le sert tout naturellement pour rehausser le salé sucré, comme pour obtenir des marinades originales, et toutes les applications habituelles des vinaigres… Le vinaigre de miel «à l'ancienne» (nous venons de voir que ce n'est pas un mot en l'air!) est vieilli pendant un an en fût de chêne.

Vinaigre de moût de raisin

(Voir *Le cas particulier du vinaigre balsamique*, p. 141.)

Vinaigre de palme

Rien à voir avec le vinaigre de datte ou de palmier dattier : c'est le vinaigre élaboré à partir de la sève sucrée du palmier à sucre asiatique. Une curiosité à découvrir lors d'un voyage au Cambodge – ou, avec un peu de chance, dans le XIIIe arrondissement de Paris.

135

Vinaigre de pamplemousse

Réputé comme un produit minceur, ce qui n'aurait rien d'étonnant dans la mesure où le vinaigre et le pamplemousse ont la même réputation, le vinaigre de pamplemousse est un bon compagnon des salades, vertes ou composées, tout comme des poissons dits « gras ».

Vinaigre de petit-lait

Produit de base oblige, c'est une spécialité helvétique issue de la fermentation acétique d'une liqueur de petit-lait. Réputé faciliter la digestion (ce qui n'est pas la qualité première du lait de vache!), il acquiert cette vertu grâce à la prédominance de l'acide acétique sur l'acide lactique. Cela lui donne aussi un goût acidulé très particulier.

Vinaigre de riz

Produit de la fermentation du riz blanc, du riz noir ou du riz rouge (riz coloré par un champignon connu pour son appétit pour le cholestérol depuis l'Antiquité chinoise), il est fait, soit directement avec le riz fermenté, ou plus souvent à partir du vin de riz, ou encore à partir d'alcool de riz. Produit encore relativement confidentiel en Occident, il est très largement consommé depuis fort longtemps en Orient, où l'on produit une foule de vinaigres de riz différents, des vinaigres de riz forts et très acides des Chinois aux vinaigres de riz très doux et parfumés des Japonais. Ces vinaigres de riz excellent

bien entendu d'abord sur les cuisines asiatiques, qu'ils peuvent aussi relever (voire incendier, pour nos gosiers européens!) quand on les aromatise au gingembre ou aux piments... Nature, c'est un champion des plats et sauces aigres-doux, un excellent déglaçant et un remarquable conservateur, à condition de le laisser au frais et de ne pas l'exposer à la lumière – exigences communes à tous les vinaigres, celui-ci étant peut-être un peu plus susceptible que d'autres.

Inutile de préciser enfin qu'il possède nombre de vertus thérapeutiques, au même titre que les vinaigres de vin, de cidre, de bière, etc.

Indispensable vinaigre de riz

Sans le vinaigre de riz, le célèbre poisson cru (pour ne citer que lui) cher aux Japonais, serait un plat plutôt dangereux à consommer...

Vinaigre de sirop d'érable

Il n'est pas très difficile de trouver d'où il vient : du Canada, bien sûr! Le problème, c'est qu'il s'y plaît et qu'il y reste, le plus souvent. À découvrir – en voyage.

Vinaigre de sucre de canne

Fabriqué à partir d'un jus de canne à sucre, il entre dans la composition de confits de fruits salés sucrés. Essentiellement produit aux Antilles et à La Réunion, il se marie très bien avec la cuisine… japonaise!

Vinaigre de tamarin

Peu connu, peu usité, le vinaigre de tamarin est lui aussi issu d'un fruit très sucré, aux propriétés digestives impressionnantes, ce qui devrait en faire un excellent complice des préparations salées sucrées et des plats asiatiques… à condition d'en trouver, ce qui n'est pas la partie la plus facile de la recette!

Vinaigre de Xérès

Ne cherchez pas Xérès sur une carte, avec ou sans accent : vous ne le trouverez pas, sauf si vous cherchez à *Jerez* (*de la Frontera*), non loin de Séville, en Andalousie, et bien connue – aussi – pour son circuit de vitesse Moto GP et F1. Le nom de Jerez (ou *Xeres*) a également donné *sherry* en anglais.

Disons-le tout net : le vinaigre de Xérès est au vinaigre ce que la Formule 1 est à l'automobile (règlements fluctuants en moins).

Il provient de l'acétification de vins doux naturels de la région, à partir des trois cépages dominants : palomino, moscatel et pedro-ximenez, le premier représentant à lui seul 95 % de la production.

Mais c'est dans son vieillissement en fûts de 600 litres, alignés et remplis chacun de 500 litres, que réside sa plus grande originalité. Les fûts sont traités selon le système *solera criaderas* : ils ne sont jamais vidés en entier. Le dernier fût contient le vin le plus vieux, dont on soutire une partie pour la commercialisation. La même part est prélevée de proche en proche sur les barriques au contenu de plus en plus jeune, la dernière recevant le vin nouveau. C'est ce système plur"séculaire, que l'on retrouve chez les meilleurs malagas, qui explique la concentration harmonieuse des saveurs de ce vinaigre et l'équilibre unique entre ses arômes et son acidité. Autre exception due à ce système : le vinaigre de Xérès peut encore contenir jusqu'à 3 % d'alcool résiduel.

Le vinaigre de xérès est commercialisé sous six appellations :

• le Vinaigre de Xérès *DO*, vieilli au moins six mois ;

• le Vinaigre de Xérès *Reserva DO*, vieilli au moins deux ans;

• le Vinaigre de Xérès *Gran Reserva DO*, vieilli au moins dix ans;

• le Vinaigre de Xérès *PX DO*, plus fruité grâce à 1/6ᵉ de vin doux de *pedro-ximenez*;

• le Vinaigre de Xérès *al moscatel DO*, moins acide grâce à l'ajout de *moscatel* (muscat).

Ce vinaigre exceptionnel, de teinte sombre soutenue, excelle dans toutes les cuisines, et possède au plus haut point les vertus apéritives et digestives des meilleurs vinaigres. Comme il n'est jamais commercialisé jeune, il se révèle très stable au fil du temps et assez indifférent à l'exposition à l'air, une fois ouvert.

C'est le petit chéri des plus grands chefs actuels, mais c'est sa qualité, vraiment unique et exceptionnelle, qui explique sa grande vogue,

140

Faute de vinaigre : le citron

Bien que leur origine, leur apparence et leur goût (sauf l'acidité) soient bien différents, tous deux présentent bien des analogies, y compris thérapeutiques. L'acide citrique du citron possède en effet des propriétés déodorantes, nettoyantes, détachantes... Et le citron lui-même est un excellent stimulant, amincissant, équilibrant, etc.

qui n'est pas (ou pas seulement) due à un courant de mode.

Le cas particulier du vinaigre balsamique

Son nom véritable (italien) est *Aceto Balsamico Tradizionale* (vinaigre balsamique traditionnel) et sa principale caractéristique est… de ne pas être un vinaigre!

L'adjectif balsamique signifie en effet «baume». Ce «vinaigre» n'est pas obtenu par acétification, mais élaboré par la cuisson de moût (jus de raisin *pas encore fermenté*). Cela donne un jus que l'on chauffe jusqu'à le faire bouillir assez longtemps pour le réduire de plus de moitié. La liqueur ainsi obtenue est mise à mûrir en barriques de chêne sous les toits ou autres lieux bien aérés sous le soleil d'Italie. L'évaporation concentre encore le moût afin qu'il s'intensifie encore, avant de vider la moitié de chaque barrique dans un fût plus petit, traditionnellement de cerisier. On remplit alors les barriques de chêne par un nouveau moût. Le vinaigre est ensuite transvasé en fûts de frêne ou de châtaignier, pendant… douze ans!

Voilà pour le véritable *Aceto Balsamico Tradizionale* (du *Modena* ou *di Reggio Emilia*), produit à partir du cépage *trebbiano* – parfois *lambrusco*.

Un vinaigre balsamique plus courant (mais tout de même encore très haut de gamme) vieillit pendant trois à cinq ans. Sa caractéristique aigre-douce s'adapte aussi bien aux salades (de toutes natures) qu'aux viandes blanches et aux poissons – cuits. La grande mode actuelle consiste à le marier avec les desserts, mais, si c'est relativement facile à faire, ça l'est un peu moins à réussir. Aux mains d'un grand chef, cela peut devenir génial. (Sinon… c'est bon quand même.)

Beaucoup plus haut de gamme, un autre produit, qui est lui un concentré de vinaigre balsamique vieilli au moins pendant douze ans (jusqu'à un demi-siècle), s'emploie en quantités infimes – son prix dissuadant de toute façon du gaspillage ! Tous les vinaigres balsamiques authentiques se caractérisent par une consistance moins liquide, plus sirupeuse que les vrais vinaigres. Certains, parmi les plus rares et les plus chers, s'emploient goutte à goutte.

À l'inverse, le marché (et les gondoles de supermarchés) est inondé de soi-disant «vinaigres balsamiques» fabriqués à partir de vinaigres de vin caramélisés et plus ou moins aromatisés (voir *Vinaigres à*) qui ont l'air... mais pas la chanson, comme on dit.

PARTIE 5

Les recettes indispensables... les plus faciles

Partant du principe que ce n'est pas parce qu'on apprécie le vinaigre qu'on est expert en cuisine, nous avons choisi de vous proposer les recettes les plus faciles, les plus «basiques»... Mais qui ne sont pas forcément les plus connues pour autant!

Un esprit sain dans un corps... apaisé

La première vertu du vinaigre c'est de rendre les aliments plus digestes et aussi (certains diront : surtout!) d'en améliorer le goût, ce qui est beaucoup plus important qu'on ne pense pour la santé. L'un ne va pas sans l'autre : manger avec plaisir ne se conçoit pas sans digérer avec le même plaisir!...

Le vinaigre est un condiment de choix pour rehausser le goût des aliments. Un «exhausteur de goût» comme on dit quand on veut faire croire qu'on s'y connaît… Mais le vinaigre a une particularité géniale, en plus. La plupart des autres exhausteurs de goût, aussi bien le sucre que le sel, le gras, ou le glutamate dans les cuisines asiatiques… sont des produits qui remplissent parfaitement leur rôle, mais avec une fâcheuse tendance à rendre malade quand on en abuse. Et la limite n'est jamais très loin! Le vinaigre, lui, aide au contraire à digérer et dissipe (entre autres) les maux de tête.

Alors… Vive la cuisine au vinaigre!

Caramel et vinaigre

Cette association n'est pas aussi étrange qu'on pourrait le penser. En effet, le caramel se fait en remuant du sucre avec une cuillère en bois dans un fond de casserole, avec un filet d'eau enrichi de quelques gouttes de vinaigre, jusqu'à ce que le sucre ramolli devienne doré.

Le vinaigre empêche le caramel de durcir trop vite et les quelques gouttes utilisées ne lui donnent pas le moindre goût acide.

Cornichons

C'est la recette emblématique de tous les vinaigres, des plus modestes aux plus élitistes.

Les meilleurs cornichons se font avec... de bons cornichons ! Cela semble évident, mais on n'insistera jamais assez là-dessus.

Si vous avez un jardin, cueillez-les le matin de bonne heure. Sinon, achetez-les au marché, le matin aussi et les plus frais possible. La taille importe peu : on fait d'aussi bons cornichons petits comme un petit doigt (de fée du logis) qu'avec les gros malossols russes (ou polonais – il y a là, paraît-il, matière à polémique).

Vient ensuite le nettoyage, en les lavant à l'eau froide avant de les frotter dans un torchon grossier (abrasif). Attention à ne pas les écorcher...

Certains préconisent de les ébouillanter, d'autres non. Si vous êtes vraiment sûr de votre nettoyage, faites-les à froid ; sinon, stérilisez à chaud.

Traditionnellement, on coupe les bouts (pas beaux, pas bons – soi-disant). Si vous le faites, attendez alors de les avoir bien frottés et nettoyés, parce que la chair tendre des bouts non protégés est vulnérable. Cela dit, un cornichon bien nettoyé peut rester entier. C'est même comme cela qu'il restera le plus longtemps ferme et goûteux.

Mettez alors vos cornichons à macérer dans une terrine, avec du gros sel, pendant 12 à 24 heures. Jetez l'eau qu'ils ont rendue, égouttez-les et remettez-les pour quelques minutes dans une terrine d'eau froide additionnée de quelques cuillères de vinaigre. Égouttez-les de nouveau et mettez-les enfin dans leurs bocaux définitifs, en compagnie de petits oignons et autres aromates à votre convenance : ail, cerfeuil, estragon, grains de coriandre, clous de girofle, laurier-sauce, piments, poivre, thym, etc.

Noyez-les dans le vinaigre blanc (ou aromatisé, selon les goûts), fermez bien les bocaux, posez-les à l'envers et oubliez-les au frais pendant au moins un mois et demi, sachant que l'idéal est de préparer des cornichons tous les ans en mangeant ceux de l'année précédente !

Astuce. Débrouillez-vous pour que les cornichons, les bocaux et les ingrédients soient tous à la même température – fraîche de préférence.

Tout retournés

Nous avons remarqué que cette histoire de retourner les bocaux intriguait beaucoup. N'allez pas chercher des explications compliquées d'ordre culinaire. C'est tout simplement pour s'assurer que le bocal est bien fermé et parfaitement étanche. (On fait de même avec les pots de peinture.)

Déglaçage

Que ceux qui connaissent la cuisine dans les coins, avec tous ses termes techniques, nous pardonnent : ils ne sont pas majoritaires, hélas ! Donc, une petite explication s'impose. Le déglaçage est destiné à récupérer les sucs de cuisson pour obtenir une sauce ou un jus savoureux.

Exemple de déglaçage classique... Vous avez fait cuire une pièce de viande dans une cocotte. En fin de cuisson, sortez la pièce de viande, videz le gras tant qu'il est liquide et facile à enlever, puis déglacez en ajoutant un (petit) filet de vinaigre au fond de la cocotte, dans lequel vous allez dissoudre les dépôts. Grattez légèrement avec une spatule non agressive (bois ou synthétique), pour bien mélanger le tout et obtenir *le top du top* de votre plat, comme on dit en bon français d'aujourd'hui. Le vinaigre n'est pas le seul déglaçant mais il est le meilleur, techniquement et « gustativement ».

Le déglaçage au vinaigre donne les meilleurs résultats sur les viandes rouges, les canards et les gibiers – qu'il a le bon goût de rendre en même temps plus digestes !

150 Huîtres

La recette des huîtres est on ne peut plus simple : ouvrir et manger.

Oui, mais il faut d'abord les ouvrir, ces satanées bestioles ! On préconise parfois un petit bain de quelques minutes en eau vinaigrée, qui les entrouvrirait juste ce qu'il faut pour insérer la lame du couteau à huîtres. Une série d'essais nous a laissés perplexes : il faut vraiment y croire et avoir affaire à des huîtres croyantes, elles aussi !

Ouvrez donc vos huîtres « à l'ancienne » et videz leur eau : elles en referont ! Vous pouvez même, si la coquille d'une huître a éclaté en minuscules fragments qui se sont répandus sur la chair, passer votre huître sous le robinet d'eau froide pour la nettoyer, avant de vider toute son eau et de la reposer parmi les autres. Au bout de quelques minutes, vous ne la reconnaîtrez plus, dans son bain neuf!

Des huîtres sans citron : pourquoi pas? – quand on a un bon vinaigre sous la main. Les deux ont leurs amateurs. Il n'est pas question de déshabiller Pierre pour habiller Paul, mais si vous n'avez pas de citron sous la main, ou si vous voulez redécouvrir le goût des huîtres, essayez le filet de vinaigre : vous serez étonné par les saveurs que vous allez découvrir! Les puristes conseillent le vinaigre (plutôt de vin, mais l'emploi du cidre n'est pas un délit!) à l'échalote, relevé d'une pointe de poivre, mais d'autres puristes trouvent que cela modifie par trop le goût de l'huître. Faites comme pour vous!...

Juste avant

Attention! Ouvrez toujours les huîtres au tout dernier moment – deux heures avant de les servir au maximum. (Mais une heure, c'est mieux.) Et, avant de les ouvrir, conservez-les au frais – moins froid que le frigo, de préférence. Si vous n'avez pas de cave et si nous sommes en hiver, ce qui arrive assez souvent avec les huîtres, la bourriche attendra mieux à l'extérieur de la fenêtre qu'au fond du frigo...

Traditionnellement, les huîtres se mangent avec du pain beurré, mais certains préfèrent les accompagner de tartines de pâtés divers. À Bordeaux, ce sont de petites saucisses qui leur sont dédiées.

Marinades accélérées

La marinade consiste à laisser tremper une grosse pièce (souvent de viande, ou de gibier) pour l'attendrir avant de la consommer, ou, plus souvent, de la cuisiner. Cela prend des heures voire des jours…

Quand on aime… on ne compte pas, c'est entendu, mais en cas d'urgence, il est bon de savoir que le vinaigre attendrit toutes les viandes plus vite que le vin, ce qui est bien commode quand on veut réaliser une recette un peu recherchée mais qu'on n'a pas 24 heures devant soi.

Quant au choix du vin ou du vinaigre, il sort nettement du cadre de ce petit livre. Disons que c'est uniquement une question de goût : il y a tant de vins… et presque autant de vinaigres !

Poulet au vinaigre

Comme pour les poissons (voir plus loin), faites découper votre poulet en morceaux par le
volailler : le plus dur est fait !

Mettez 50 grammes de beurre au fond d'une
cocotte ou d'une sauteuse (à couvercle) et faites-y rissoler les morceaux de poulet pendant 5
minutes, en les retournant deux ou trois fois.
Salez, poivrez... Sans sortir le poulet, videz le
gras tant qu'il est liquide et facile à enlever, puis
déglacez en ajoutant un filet de vinaigre (10 centilitres environ) au fond de la cocotte, dans
lequel vous allez dissoudre les dépôts. Grattez
légèrement avec une spatule non agressive pour
bien mélanger le tout et extraire tous les sucs
de votre plat. (Certains ajoutent des oignons en
lamelles et/ou de la poitrine fumée, mais le plat
a déjà bien assez de goût comme cela.)

153

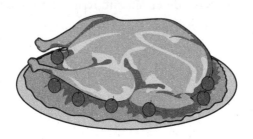

Recouvrez le tout et laisser mijoter pendant une bonne demi-heure, avant de faire passer les morceaux de poulet dans le plat de service, mis à tiédir.

Pendant ce temps, versez encore 10 centilitres de vinaigre dans la cocotte ou la sauteuse et faites réduire en remuant pendant 5 minutes.

À côté, faites un beurre manié (mélange à froid de beurre, de farine et d'herbes hachées : persil, estragon, sel et poivre, etc.) avec 20 ou 30 grammes de beurre et une bonne cuillère à soupe de farine. Peu à peu, en remuant, ajoutez ce beurre manié à la sauce chaude, qui va apporter la touche finale en venant napper le poulet à la fin.

Voilà : ça prend un quart d'heure, plus une demi-heure de cuisson qui se fait toute seule (prévoyez quand même une minuterie) et c'est tout simplement inoubliable.

(Le secret de la réussite réside dans le déglaçage : c'est lui qui fait la différence.)

Rollmops express

C'est un autre grand classique de la cuisine au vinaigre.

Il faut normalement trois jours de marinade pour obtenir des harengs au vinaigre classiques, qu'on appelle aussi *rollmops* (« roulez-les ») quand on les enroule sur eux-mêmes – ce qui n'a rien d'obligatoire. Voici une recette très simple et très rapide, comme nous les aimons ici...

Tout commence par la préparation des poissons (une vingtaine), que vous choisirez très frais et bien brillants. Évitez le vendredi matin et le samedi (toute la journée) pour demander à votre poissonnier de désarêter les harengs, et de leur couper la tête, la queue et les nageoires.

Déposez les filets bien propres que vous venez d'obtenir, lavés et essuyés, côte à côte dans un plat à four.

Dans une casserole, faites chauffer 20 centilitres de vin, 20 centilitres de vinaigre de vin, un ou deux oignons (selon leur taille), un petit citron et une carotte, tous finement tranchés, une botte de persil haché, du thym, de l'estragon et des feuilles de laurier-sauce. Dès que ça bout, versez doucement le tout dans le plat à four, sur les filets de poissons et faites cuire à tout petit bouillon pendant dix minutes.

Sans compter le temps du refroidissement (qui ne fatigue pas trop le chef, faut reconnaître), cela ne devrait pas vous prendre guère plus d'un quart d'heure, pour un résultat incomparablement meilleur que les produits équivalents du commerce.

La Rolls des rollmops

Non seulement ces filets frais, préparés avec des produits frais, sont vraiment les meilleurs, mais en plus (et là, on sort de la Rolls) ils ne coûtent vraiment pas cher. Beaucoup moins cher en effet que les rollmops du commerce, toutes catégories confondues !

Sardines en escabèche

Comme pour les rollmops, un peu de diplomatie auprès du poissonnier simplifie notablement la recette (même si c'est un peu plus facile ici). Demandez-lui donc de vider les sardines, les étêter et les écailler (il suffit de les essuyer).

Chauffez un fond d'huile d'olive dans une grande poêle. Posez-y vos sardines pour les saisir pendant trois minutes. Retournez-les délicatement pour trois minutes de l'autre côté. Retirez-les à l'écumoire et égouttez bien l'huile.

Faites chauffer un autre fond d'huile d'olive dans une sauteuse (genre de poêle à haut bord) ou un wok à fond plat et jetez-y, pour les faire blondir, deux ou trois oignons finement tranchés, 300 à 400 grammes de carottes râpées (6 à 8 carottes), une gousse d'ail haché, un brin de thym, de laurier, du piment, un clou de girofle si vous les aimez, du sel et du poivre… Rajoutez 15 à 20 centilitres de vinaigre de vin. Couvrez et cuisez à feu doux pendant dix minutes.

Répartissez les sardines (retirées avec une écumoire – sans l'huile) au fond d'un plat à bords relevés, étalez-les bien, et recouvrez-les avec le contenu de la sauteuse. Recouvrez le tout d'une feuille de papier-alu. Laissez refroidir ensuite sans y toucher pendant au moins deux jours au réfrigérateur.

Cela vous aura pris environ une demi-heure. Prévoyez bien les deux jours au frigo, qui sont un minimum indispensable. Les invités peuvent arriver en retard : ça ne froidira pas!

(Certains privilégient le vin blanc au détriment du vinaigre, mais cela enlève beaucoup de sa personnalité à ce plat unique.)

158

L'autre vinaigrette

C'était jadis un véhicule rapide (voir *Faire vinaigre* ci-contre), petit, étroit, maniable, qui se faufilait partout à toute vitesse – pour l'époque – dans les rues des villes. Les vinaigrettes étaient tractées par un petit cheval, mais aussi parfois par un homme pour les plus légères.

Vinaigrette !

Les puristes et les (bons) professionnels la préparent dans l'heure qui précède le service. À la maison, vous gagnerez du temps en préparant la vinaigrette à l'avance, par exemple dans une bouteille d'huile (qui coule sans laisser perler de gouttes génératrices de taches). Choisissez une contenance correspondant à la consommation familiale de deux semaines environ. En effet, les oméga tant vantés par les diététiciens (à juste titre pour une fois) se dégradent assez vite, une fois la bouteille ouverte – et le goût aussi : comme ça tout le monde est d'accord.

Recette de notre vinaigrette « maison », pour une bouteille d'un litre : deux quarts d'huile, un quart de vinaigre, un quart d'air (de vide) et deux cuillères à soupe de moutarde.

Pas de sel. La moutarde « sale » bien assez. Commencez par elle, en la faisant glisser dans un entonnoir grâce à l'huile et au vinaigre. Bouchez, secouez et servez : l'émulsion exacerbe les goûts.

159

Faire vinaigre

L'expression *Faire vinaigre* remonte au XIXᵉ, peut-être même au XVIIIᵉ siècle et on l'emploie toujours aujourd'hui dans le sens de « faire vite ». Au pied de la lettre, elle peut sembler un peu étrange, dans la mesure où s'il y a quelque chose qui ne se fait pas très vite c'est bien le vinaigre (traditionnel).

En fait, *Faire vinaigre* remonte au jeu de saut à la corde des enfants, dans les rues puis dans les cours d'école. Les plus maladroits sautaient « à l'huile » et les plus rapides « au vinaigre », sans doute par analogie avec la vitesse d'écoulement des deux liquides, meilleurs ennemis de toujours qui nous ramènent encore une fois à notre bonne vieille... vinaigrette !

Vous ne trouverez pas plus simple, ni plus rapide à l'emploi : moins d'une minute, du placard à l'assiette ! Quant au goût, il dépend de la qualité des ingrédients : une bonne huile vierge, un bon vinaigre (de vin, c'est souvent préférable) et une excellente moutarde.

PARTIE 6

Le vinaigre « maison »

Faire son vinaigre, c'est facile, mais il ne faut pas être pressé, surtout si on laisse le plus gros du travail à la nature, sans l'aider…

Mieux qu'un recyclage de fonds de bouteilles, c'est un but en soi ; et un but pas trop difficile à atteindre : il est beaucoup plus facile de réussir un bon vinaigre qu'un bon vin ! Autre avantage, cela vous permet, en fin de repas, de ne pas vous croire obligé de boire le verre de trop, dont vous n'avez plus vraiment envie. Celui qui ne vous fera pas vraiment de bien et ne vous procurera pas vraiment de plaisir.

Le top du top perso

Le meilleur vinaigre, c'est celui que vous faites vous-même, avec les fonds de (bonnes) bouteilles que vous buvez tous les jours, que vous avez choisies et que vous aimez. À l'exception (rarissime) de deux ou trois vinaigres de grande race mais hors de prix, vous ne trouverez pas mieux dans le commerce – pour vous.

Un matériel simple

D'abord choisir un contenant d'au moins trois litres et de préférence en bois (tonnelet) ou en terre, avec au moins un trou et son bouchon sur le dessus. C'est par ce trou que l'on rajoutera du vin et qu'on prélèvera du vinaigre en inclinant prudemment ledit contenant. Les deux opérations sont facilitées par un entonnoir, mais ce système est beaucoup moins commode que le suivant. Le *nec plus ultra* est le tonnelet de chêne conçu et assemblé comme un vinaigrier, ou la cruche de grès, tous deux avec une bonde pour ajouter le vin et un robinet pour prélever le vinaigre. En revanche, il faut éviter absolument le métal, même étamé, émaillé, etc. Le verre ne convient pas très bien non plus : ce n'est pas la matière qui est en cause mais sa transparence.

Le vinaigre, comme le vin son papa, n'aime pas du tout la lumière.

En revanche, et contrairement au vin, le vinaigre ne se conserve pas au frais, mais autour de 20-25 °C. Voire un peu plus, quand il est en phase de démarrage… Sachez en tout cas qu'à 10 °C, les bactéries s'endorment et cessent de s'alimenter.

Dernier détail : vérifiez, si le vinaigrier choisi est muni d'un robinet (ou d'une cannelle), qu'il est étanche, en le remplissant d'eau et en le laissant ainsi pendant 24 heures. Par la suite, il faut savoir que la mère peut obstruer le robinet (ou la cannelle), qu'il faut déboucher à peu près une fois par an.

L'avantage du vinaigrier est de laisser la mère du vinaigre bien tranquille et de réduire ses manipulations au minimum.

Méthode 100 % naturelle

Versez au moins un litre de vin (ou attendez d'avoir réuni suffisamment de fonds de bouteilles) et ne posez pas le bouchon sur le trou ou la bonde du récipient. (Ne le perdez pas non plus ; il servira plus tard.) Couvrez tout de même le trou avec un linge propre et humide – ce qui lui évitera de s'envoler – qui empêchera les drosophiles d'entrer et surtout de pondre dans le vinaigrier. Au fil des jours, vous allez sentir le piquant du vin qui s'aigrit en même temps que se forme un voile en surface. Ce voile va s'épaissir et se densifier pour devenir ce qu'on appelle la « mère » du vinaigre. Cette matière, d'abord prise pour un champignon par Pasteur quand il l'a « identifiée » (mais pas découverte : elle est connue au moins depuis la protohistoire) est en réalité constituée par une colonie de bactéries, présentes dans l'air ambiant, qui se nourrissent en transformant l'alcool en acide acétique. Cette bactérie se multiplie très vite, jusqu'à former un petit tapis en surface. Il vous suffit de prélever périodiquement quelques gouttes pour guetter le moment où le vinaigre se « fait ». Ce qui prend deux à quatre mois.

Méthode boostée à la mère

Que les puristes se rassurent, cette méthode est tout aussi naturelle que la précédente, mais elle prend un raccourci en introduisant directement un morceau de mère prélevé dans un autre vinai-

grier, à qui cela fait d'ailleurs beaucoup de bien
(voir ci-dessous). On gagne du temps, sans rien
perdre par ailleurs.

Méthode boostée au vinaigre

Même observation que ci-dessus quant au naturel. Faute de mère, on peut accélérer le démarrage en ajoutant au vin 20 à 30 % de vinaigre
non pasteurisé. Dans tous les cas, il est primordial
que la mère se forme et reste en surface. Sinon,
elle se noie et meurt.

Le remplissage idéal

Le vinaigrier ne doit pas être rempli au-delà des
deux tiers. Les meilleurs vinaigriers sont judi-
cieusement évasés, de manière à ce que ce remplissage aux deux tiers corresponde à l'endroit
où la surface du liquide en contact avec l'air est
la plus importante.

Bouchon non étanche

Le bouchon de liège situé au-dessus du vinaigrier ne doit jamais être enfoncé à fond, mais au contraire laisser passer l'air – mais pas les mouches du vinaigre. Vous pouvez l'entourer d'un petit chiffon (très propre, à renouveler à chaque ouverture s'il a été en contact avec le vin ou le vinaigre) : c'est un vieux truc, gratuit, qui vaut bien des gadgets!

Le soutirage

Il est conseillé de ne jamais prélever plus du cinquième du volume de vinaigre dans le vinaigrier. Le volume qu'on est autorisé à prélever varie donc en fonction du remplissage; pas du volume total du vinaigrier.

La mouche du vinaigre

Pour la petite histoire, c'est sur la plus connue des drosophiles (*Drosophila melanogaster*) qu'ont été menés il y a un siècle les plus importants travaux sur la génétique (école de Morgan), depuis Gregor Mendel et en attendant James Watson. Cet étonnant animal ne possède en effet que quatre chromosomes, dont un géant – d'où son intérêt.

Les mouches du vinaigre

Vous verrez voleter des petits moucherons autour de votre vinaigrier (autour d'une bouteille de vin ouverte, aussi). Ces drosophiles, pour les appeler par leur nom, sont parfaitement inoffensives.

Veillez simplement à ce qu'elles ne rentrent pas dans le vinaigrier : elles y pondraient et votre vinaigre serait vite envahi par leurs minuscules mais indésirables asticots. Pour les reconnaître, ces asticots sont minuscules, blancs, plats et très mobiles.

Comment s'en débarrasser? En attirant les drosophiles ailleurs, dans un coin discret, à l'aide d'une soucoupe à demi pleine d'eau vinaigrée ou citronnée (pas sucrée) et d'un peu de pulpe de fruits quelconques, où elles se noieront dans le bonheur. Elles se font elles aussi prendre dans les pièges à guêpes transparents.

La vie, la mort, la mère

Les mères de vinaigre ont tendance, comme tout organisme vivant, à se multiplier et à envahir tout l'espace... La décomposition des bactéries mortes absorbe tout l'oxygène et un, beau jour, la mère meurt. La bonne odeur de vinaigre est instantanément remplacée par une puanteur épouvantable…

Il ne faut pas hésiter à «refaire» périodiquement son vinaigrier, à partir de vins «neufs» et d'un petit morceau de mère en bonne santé – qui se reconnaît à sa bonne odeur acidulée. Et sans aller jusque-là, il est utile de vider son vinaigrier, une fois par an. On récupère la mère avec grande précaution, pour ne pas l'endommager. On transvase délicatement tout le vinaigre, avant d'enlever et de jeter la matière molle et rougeâtre qui était tombée au fond. Cette masse informe n'est pas la mère mais l'ensemble des cadavres de bactéries mortes, qui peuvent polluer le vinaigrier à la longue, et tuer la mère.

Bon vin = bon vinaigre

Un vin qui «tourne» peut entrer dans la composition d'un bon vinaigre, si c'était à l'origine un bon vin, simplement oublié dans un coin. En revanche, un mauvais vin, ou médiocre, ne donnera jamais autre chose qu'un vinaigre médiocre, lui aussi. De même, un vin bourré de conservateurs (ça existe, hélas!) résistera longtemps à l'acétification et ne donnera jamais un bon vinaigre.

Place aux jeunes !

Certes les meilleurs vinaigres sont issus des meilleurs vins, mais pour démarrer un vinaigre, mieux vaut des vins jeunes (mais bons), qui évolueront plus vite que les vieux nectars certes délicieux, mais tellement bien équilibrés qu'ils ne sont pas faciles à déstabiliser.

Rouges ou blancs ?

Rouges *et* blancs, ainsi que rosés et gris si le cœur vous en dit ! Tous les fonds de bouteille conviennent, du moment que le vin est bon ; le vinaigre accepte des assemblages qui feraient dresser les cheveux sur la tête des vignerons les moins exigeants ! Une seule condition : choisir de bons vins – dans tous les cas.

Démarrez en douceur

Contrairement à une idée reçue tenace, un bon vinaigre gagne à être initié avec des vins légers, titrant peu d'alcool. Surtout pas avec du gros vin de 13 ou 14 degrés! Par la suite, une fois la mère formée, on peut y ajouter toutes sortes de vins, à condition de procéder toujours par petites quantités mais après tout, le vinaigre maison est-il fait d'autre chose que de fonds de bouteilles?

Vinaigres aromatisés

Les vinaigres maison peuvent être aromatisés comme les vinaigres blancs (Voir *Vinaigres à…*, p. 116), à une condition et une seule : toujours le faire au coup par coup, une fois que le vinaigre est sorti du vinaigrier. Les parfums les plus gratifiants sont l'ail, la ciboulette, l'échalote, l'estragon, le fenouil, le gingembre, le romarin, la sauge, le thym, etc. La liste reste ouverte.

Vinaigre solitaire

Éloignez tous les produits chimiques, ménagers, pesticides, détergents, désodorisants, etc. Ils risqueraient non seulement de donner un goût amer non souhaité au vin, mais aussi et surtout, dans les cas extrêmes, de tuer la mère.

Vinaigre contre vin

Le vinaigre ne doit surtout pas être rangé avec le vin, ou à proximité. Les émanations d'acide acétique pourraient dénaturer le vin – qui ne se plaît qu'en compagnie de ses semblables !

Les trois erreurs
à ne pas commettre

Chacune de ces erreurs, bien communes pourtant, peut tuer la mère sans autre forme de procès !

La première consiste à rajouter trop de vin d'un coup, surtout dans un vinaigrier presque vide.

La deuxième part aussi d'un bon sentiment qui consiste à vouloir accélérer le démarrage d'un vinaigrier en le garnissant de vin fort en alcool. Il faut commencer, au contraire, par des vins les plus légers possibles. Vin léger ne signifie pas piquette, au contraire! Un gros vin alcooleux est beaucoup plus facile à élever qu'un petit vin subtil et équilibré...

172

La troisième ne tue pas forcément la mère mais elle ne lui fait pas beaucoup de bien non plus, qui consiste à entreposer le vinaigrier «au frais», alors qu'il ne se porte jamais mieux qu'autour de 25 °C.

PARTIE 7

Jamais sans mon vinaigre !

Le vinaigre ne connaît pas de frontières, notamment les frontières européennes. Avouez qu'il serait trop bête de s'en priver, faute de savoir comment il s'appelle !

Voici donc quelques pistes, pour terminer...

En allemand, vinaigre se dit *Essig* et vin, *Wein*.

En anglais, vinaigre se dit *Vinegar* et vin, *Wine*.

En danois, vinaigre se dit *Eddike* et vin, *Vin*.

En espagnol, vinaigre se dit *Vinagre* et vin, *Vino*.

En finnois (finlandais), vinaigre se dit *Etikka* ou *Vinietikka* et vin, *Viini*.

En flamand, vinaigre se dit *Kelder* et vin, *Wijn*.

En grec, vinaigre se dit *Ksidi* et vin, *Krassi*.

En hongrois, vinaigre se dit *Ecet* et vin, *Bor*.

En hollandais, vinaigre se dit *Asijn* et vin, *Wijn*.

En italien, vinaigre se dit *Aceto* et vin, *Vino*.

En norvégien, vinaigre se dit *Eddik* et vin, *Vin*.

En portugais, vinaigre se dit *Vinagre* et vin, *Vinho*.

En polonais, vinaigre se dit *Ocet* et vin, *wino*.

En suédois, vinaigre se dit *Vinnäger* ou *Attikä* et vin, *Vin*.

174

En tchèque, vinaigre se dit *Ocet* et vin, *Vino*.

Table des matières

180

PARTIE 3

Le vinaigre, génie personnel....... 89

181

184

PARTIE 5

Les recettes indispensables... les plus faciles 145

PARTIE 6

Le vinaigre « maison »

PARTIE 7

Jamais sans mon vinaigre !

185

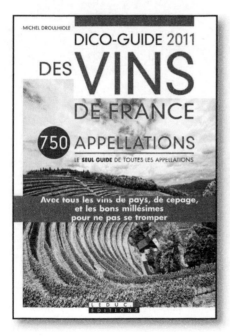

Comment dénicher
les meilleures bouteilles
pour seulement quelques euros ?

Parution : mai 2009	
Prix : 5,90 €	
Format : 11 x 17,8 cm	
ISBN : 978-2-84899-309-6	

Achevé d'imprimer en Espagne par
Litografia ROSÉS S.A.
Gavà (08850)
Dépôt légal : avril 2009

Pour recevoir notre catalogue, merci de bien vouloir photocopier, recopier ou découper ce formulaire et nous le retourner complété à :

Éditions Leduc.s
17 rue du Regard
75006 Paris

Vous pouvez aussi répondre au formulaire disponible sur Internet :

www.leduc-s.com

NOM : ....

PRÉNOM : ....

ADRESSE : ....

....

CODE POSTAL : ....

VILLE : ....

PAYS : ....

ADRESSE@MAIL : ....

ÂGE : ....

PROFESSION : ....

Titre de l'ouvrage dans lequel est insérée cette page :

Le vinaigre malin

Lieu d'achat : ....

Avez-vous une suggestion à nous faire ?

....

....

....

À ....   LE ....